Collection « Les Paysages de l'Amour »

LOUIS XIV ET LOUISE DE LA VALLIÈRE A VERSAILLES
par Catherine Valogne

ROMÉO ET JULIETTE A VÉRONE
par Jean-François Noël et Jean-Baptiste Jeener

REMBRANDT ET SASKIA A AMSTERDAM
par Pierre Descargues

Diffusion en France :

EDITIONS PAYOT PARIS

106, Bd-Saint-Germain, Paris 6e

PIERRE CORDEY

Mᴹᴱ DE STAËL ET BENJAMIN CONSTANT
SUR LES BORDS DU LÉMAN

PAYOT LAUSANNE

COLLECTION «LES PAYSAGES DE L'AMOUR»

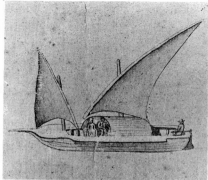

I

UNE DATE DANS L'HISTOIRE DU CŒUR

L'amour? Ses paysages? Permettez...

Et d'abord, Germaine de Staël et Benjamin Constant, qu'ils sont difficiles à aimer, ces deux-là.

Tout ce que l'envie, la sottise et la haine ont accumulé contre eux de calomnies et d'insultes, on peut sans trop de peine l'écarter. Leurs vies, pas plus que leurs caractères, ne passeront cependant jamais pour exemplaires. Certains traits, chez l'une comme chez l'autre, rebuteront toujours, lassant l'amitié, la patience et jusqu'à la pitié.

Les mots les plus durs qui aient été dits sur l'un comme sur l'autre, ce sont eux d'ailleurs qui se les sont lancés. Il l'appelle l'homme-femme, elle : le diable blanc. Elle est, pour lui, une furie, un fléau que l'enfer a vomi pour le tourmenter. Il a, pour elle, des traits qui manquaient à Monsieur de Sade. Ils se déchirent. Ils se haïssent. Après s'être aimés? On en a même pu douter. Alors, l'amour...

Et les paysages? Ces rives où ils se rencontrèrent, vécurent et travaillèrent côte à côte, se quittèrent enfin, souffrent d'une comparable équivoque. S'ils s'accordent, c'est d'ordinaire pour les détester. Ce lac, il n'est même pas assuré que simplement ils l'aient vu.

Deux êtres donc qu'on n'aime guère et qui ne savent point s'aimer, dans un décor qu'ils n'aiment pas: singulier propos que de vouloir conter leur histoire à l'enseigne des « Paysages de l'amour »!

Dessein paradoxal, tant qu'on voudra. Abusif, jamais! Au contraire... Tout comme Benjamin et Germaine sont indissolublement unis l'un à l'autre — à côté de ce lien-là, tous ceux qu'ils purent assumer d'autre part ne furent, malgré les sanctions légales ou sociales, que liaisons — leur sort à tous deux est associé au pays qui demeurait, plus qu'ils ne le voulaient, leur patrie et, beaucoup plus encore qu'ils ne pouvaient le croire, la patrie de leurs esprits et même de leurs cœurs.

Leurs cœurs furent nobles. Leurs esprits hauts, vastes et surtout féconds. Du romantisme au libéralisme, il n'est guère, en ce grand XIXe siècle commençant, de mouvement dans les idées dont ils ne soient, peu ou prou, les parrains. Mais on a trop répété qu'ils se tenaient seulement par l'esprit et ce n'est pas par l'esprit seul qu'ils nous tiennent. A qui les fréquente comme nous allons le faire, les suivant à la trace entre Lausanne et Genève, il est presque aussi difficile d'échapper à leur charme que de les aimer sans réserve.

Peut-être la formule vaut-elle aussi pour eux, Germaine et Benjamin, en face l'un de

l'autre, ou face au pays du Léman. Si telles de leurs œuvres ont marqué une date dans l'histoire du cœur, c'est que mystérieusement l'amour, tout comme le génie, avait sa place dans la longue passion qu'ils s'infligèrent. Une place si décisive que sur le rivage de Coppet leurs deux noms inséparables suffisent à faire surgir, par eux marqué et exalté, tout un paysage du cœur.

Constance Cazenove d'Arlens, née Constant.

II

LAUSANNE — 18 SEPTEMBRE 1794

Par un hasard qui eut sur ma vie une longue influence, note dans *Cécile* Benjamin Constant, *je rencontrai Mᵐᵉ de Malbée, la personne la plus célèbre de notre siècle, par ses écrits et par sa conversation...* (A ce trait, nul n'en peut douter: Mᵐᵉ de Malbée, c'est, transparent pseudonyme, Mᵐᵉ de Staël.) *Je n'avais rien vu de pareil au monde.*

Mᵐᵉ de Staël — Constant, lui, dit toujours Malbée dans ce récit autobiographique qu'il écrivit probablement en 1811, mais qui ne vint au jour que cent quarante ans plus tard — Mᵐᵉ de Staël vivait en Suisse, où la Révolution l'avait engagée à se retirer... *Son esprit m'éblouit, sa gaîté m'enchanta, ses louanges me firent tourner la tête. Au bout d'une heure, elle prit sur moi l'empire le plus illimité qu'une femme ait peut-être jamais exercé.*

Constant précise: *J'en devins passionnément amoureux.* Et ce n'est pas inutile, car l'empire de Germaine dura beaucoup plus longtemps que l'amour de Benjamin. L'empire dura dix-sept ans, dont ce livre retrace le cours orageux, devant quelques-uns des paysages les plus sereins qui soient au monde.

Leur rencontre eut lieu à Lausanne, le jeudi 18 septembre 1794, dans la soirée. Mᵐᵉ de Staël revenait d'un voyage en Suisse allemande, fort douloureux pour elle. Elle descendit chez Mᵐᵉ d'Arlens à Montchoisi, une maison de campagne proche du lac.

Mᵐᵉ Cazenove d'Arlens était pour Mᵐᵉ de Staël une amie très chère, une amie d'avant l'exil, de Paris; après son père, le beau Constant d'Hermenches, son colonel de mari y était resté jusqu'en 1792, au service de France. Née Constance de Constant, elle était aussi la cousine de Benjamin Constant.

Lausanne, la Cité vue de l'ouest (colline de Riant-Mont).

Germaine, Genevoise de Paris, avait déjà fait plusieurs séjours en Pays de Vaud. Benjamin, Vaudois d'Allemagne, en avait fait à Paris. Leurs chemins ne s'étaient cependant jamais rejoints. Ou plutôt Constant, chambellan inconnu d'un prince allemand, n'avait pas souhaité approcher Mme de Staël, femme du monde déjà célèbre. Il ne voulait pas connaître « la personne la plus célèbre de son siècle ».

Le sort allait l'y contraindre, en ce début de l'automne 1794. Constance d'Arlens tenait salon. A Montchoisi, elle recevait la société lausannoise, alors brillante, et celle plus brillante encore des émigrés.

Mme de Staël n'avait pu manquer de s'annoncer. Puisque hasard il y eut, c'est la visite de Constant qui fut sans doute impromptue. Quant à l'heure qui le laissa ébloui, subjugué, la vécut-il déjà ce soir-là ?

Un billet encore inédit des archives de Coppet montre qu'en tout cas, ce même soir du 18 septembre 1794, Constant cédait à Mme de Staël la part la plus précieuse de sa bibliothèque, ses livres anglais, et l'autorisait, s'il venait à mourir, à s'en saisir elle-même. A défaut de passion, c'était bien déjà dès l'abord, « au bout d'une heure », l'empire illimité... Pour la légataire, dans une lettre qu'elle écrivit toujours ce même 18 septembre, elle se contenta de noter : *J'ai rencontré ici ce soir un homme de beaucoup d'esprit qui s'appelle Benjamin Constant... Pas trop bien de figure, mais singulièrement spirituel.*

Jusqu'à la publication, en 1960 seulement, de ces lettres intimes *, on ignorait tout des véritables circonstances d'une rencontre justement célèbre, puisqu'on lui doit quelques chefs-d'œuvre, et des aveux inoubliables. Les érudits, qui sont plus souvent qu'on ne le pense des poètes, avaient dressé un tout autre tableau.

C'était en cette année 94, celle de Fleurus, de la grande Terreur, de Thermidor aussi, à la fin de septembre, à mi-chemin entre Lausanne et Genève, au pied du grand vignoble de La Côte, tendu sous un coteau abrupt comme une draperie aux plis très lourds, parfois cassés, d'un vert qui tourne au roux et à l'or. La route suit de près le lac. Dans la poussière, une voiture roule vers Lausanne. Un cavalier au galop la rejoint, l'arrête, demande à monter. C'est Constant qui, n'ayant pas trouvé Mme de Staël à Coppet, a tourné bride et s'est lancé à sa poursuite. Requête agréée, Constant prend place dans la voiture. (Nul n'a jamais dit ce qu'il avait fait de son cheval, mais de telles considérations sont impies !). S'il descend du carrosse, c'est pour ne plus quitter la châtelaine de Coppet, de quarante-huit heures au moins...

La scène était admirable, rien n'y manquait. Ni, sommé du mont Blanc, le décor d'Alpes et d'eau, qui sera celui d'une liaison « plus serrée qu'un mariage », d'un amour fait de longs orages. Ni cette fougue de Constant suscitant le coup de foudre. Ni ce grondement de roues d'une voiture, grondement prophétique, car s'ils ont pour port et pour refuge Coppet, l'exilée et le déraciné vont pendant quinze ans courir les routes et la poste, pour se rejoindre ou pour se fuir.

Il a donc fallu déchanter. Les textes sont inattaquables. La rencontre sur la route, près de Nyon, a bien eu lieu, mais ce fut la seconde. La première n'eut pour cadre qu'un salon quasi campagnard, pour occasion que le hasard mondain, pour musique de fond que le feu, roulant lui aussi, des conversations.

La maison de Montchoisi, aujourd'hui détruite, mangée par la ville, s'élevait sur une colline, s'y appuyait plutôt, s'y terrait même: la pente donnait curieusement à l'une des façades de ce bâtiment rustique un étage de plus qu'à l'autre. Accrochée de la sorte à l'un des derniers épaulements de jardins et de prés qui, des portes de Lausanne, dégringolaient jusqu'au lac, elle dominait, au bout d'une allée de grands arbres, la rive et le proche ravin de la Vuachère, à l'orient du port d'Ouchy. Le double décor de montagnes, les vaudoises, les valaisannes et les savoyardes, sur les deux rives du lac où les masses hautes s'équilibrent est, vers le levant toujours, l'un des plus harmonieux de tout le Léman. Septembre sur ces bords se révèle le mois le plus doux de l'année. A Paris, où les hôtes des Cazenove vivaient presque tous en esprit, la Terreur avait pris fin. L'espoir se levait. Ni le cadre, ni l'heure n'étaient indignes de la rencontre.

Elle lui a témoigné un extrême engouement, notera bientôt, greffière jalouse, la pauvre Mme de Charrière. Pour Constant, on sait déjà — par *Cécile* — qu'au moment même de rompre, il soutenait que sa conquête par l'ambassadrice avait été, dix-sept ans plus tôt, immédiate.

Au lendemain de la rencontre de Montchoisi, Mme de Staël regagna Coppet, pour y retrouver M. Necker, son illustre père. Huit jours plus tard, Benjamin prenait la même

La maison des d'Arlens à Montchoisi, près de Lausanne.

route. Et ce fut l'intermède romanesque, sur le grand chemin: *Mon voyage à Coppet a assez bien réussi. Je n'ai pas trouvé Mme de Staël, mais je l'ai rattrapée en route, me suis mis dans sa voiture et ai fait le chemin de Nyon* (à Lausanne) *avec elle, ai soupé, déjeuné, dîné, soupé puis encore déjeuné avec elle, de sorte que je l'ai bien vue, et surtout entendue.*

Avant de souper, déjeuner, dîner avec Mme de Staël, Constant avait d'abord, une première fois, dîné en sa compagnie, ce vendredi 26 septembre. A Rolle, où six ans plus tard Stendhal, dragon de dix-sept ans, pensera connaître l'approche la plus voisine du bonheur parfait en entendant sonner une cloche lointaine. Eux, ils ont parlé, conversé, discuté, disputé même un peu. Des témoins par dizaines, toujours sous le coup de ce don qu'ils avaient l'une et l'autre de « conversationnistes » géniaux, ont dit le charme incomparable de ces joutes verbales. Ils nous en ont rarement rapporté le sujet. Pour leur première passe, le miracle veut que nous le connaissions. Germaine et Benjamin, futurs patrons de l'Europe libérale, ont parlé, ce soir de leur seconde rencontre, de la liberté de la presse!

Madame de Staël, trouvant un Bernois à Rolle, a beaucoup parlé contre La Quinzaine, *ce journal où elle est maltraitée, et a insisté sur la nécessité de le défendre* (comprenons: de l'interdire). *J'ai parlé vigoureusement pour ce journal et pour la liberté illimitée de la presse, et elle ne m'a point su mauvais gré, ce que je trouve joli...*

Sur quoi c'est peut-être à Lausanne, plus probablement à Mézery, que pour quarante-huit heures Constant suivit Germaine. Après son départ, elle régla quelques affaires, puis repartit pour Coppet. *Ils se sont admirés l'un l'autre*, nota Mme de Charrière. S'il ne s'était agi que d'admiration! Mme de Staël elle aussi notait le 8 octobre 1794, écrivant à Hambourg à l'ami qui l'avait quittée: *Je dois vous dire que M. Benjamin Constant, gentilhomme de Son Altesse le duc de Brunswick, âgé de 26 ans et remarquablement spirituel, est tombé amoureux de votre Minette. Nous vous garderons ses lettres et cacherons son visage qui donnerait trop peu de mérite à ma brillante indifférence...*

18 septembre, 8 octobre: la rencontre, redoublée le 26, n'avait allumé qu'une flamme encore, mais prompte singulièrement, mais haute, et bientôt dévorante.

Au spectacle de cet incendie, tout Lausanne et toute l'émigration en Pays de Vaud allaient s'étonner et se divertir. De ses cendres, devait naître celui qui serait — pour les lettres, et pour l'histoire du sentiment — Benjamin Constant, l'auteur d'*Adolphe* et des *Journaux intimes*, mais aussi, pour l'histoire tout court, le maître d'école de la liberté.

Avec la rencontre de Benjamin et de Germaine, c'était un peu — d'autres l'ont déjà noté avec force, et justesse — le XIXe siècle qui commençait.

Ce qui nous fera une raison de plus de nous attarder d'abord un peu au XVIIIe.

III

LAUSANNE — ÉTÉ 1784

Je ne crois pas qu'il se trouve au monde une laide petite ville où il y ait plus de beau monde, de meilleures manières et plus de plaisirs...

Ce témoignage sur Lausanne dans la seconde moitié du XVIIIe siècle pourrait être récusé. Il émane d'un Lausannois, exilé de surcroît. Ni l'esprit de clocher, ni le mal du pays n'entachent celui-ci, qui est de Gibbon, le grand historien anglais, en 1787: *J'avais choisi pour ma retraite le Pays de Vaud et jamais je ne me suis repenti un seul instant de ce choix. La tranquillité du gouvernement, un peuple aimable, une société douce et facile, la politesse réunie avec la simplicité des mœurs, voilà les objets que j'ai cherchés à Lausanne et que j'aurais difficilement rencontrés ailleurs... En quittant Lausanne, j'éprouvais les sentiments d'un homme qui s'arrache à sa patrie. Je perdais de vue cette position unique sur la terre.*

Tolérés par accoutumance, les Bernois étaient encore les maîtres du pays. *On n'y abordait aucune idée politique, excepté pour en rire et faire des chansons.* La ville ne comptait guère plus de sept mille habitants, mais c'était ce que l'on nommerait aujourd'hui une station. A la barre, voici Mme de Charrière elle-même, qui aimait fort un jeune Lausannois, mais pas Lausanne: *Connaissez-vous Plombières, ou Bourbonne, ou Barège? Lausanne ressemble assez à ces endroits-là. La beauté de notre pays, notre Académie et M. Tissot* — le fameux médecin — *nous amènent des étrangers de tous les pays, de tous les âges, de tous les caractères, mais non de toutes les fortunes. Nous avons surtout des seigneurs anglais, des financières françaises et des princes allemands qui apportent de l'argent à nos aubergistes, et à ceux de nous qui ont des maisons à louer en ville ou à la campagne.*

Ce qu'on fait dans cette ville pour les étrangers est inouï, note une gazette du temps. *On leur consacre, pour ainsi dire, son temps, sa vie, sa fortune... Il y a des moments*, écrit une Lausannoise, *où je me crois dans l'Arche!* L'arche? C'est faire tort à d'aucuns, ou plutôt à d'aucunes. Aux dires toujours d'une contemporaine, l'éducation de Lausanne formait d'aimables femmes: *généralement très sages, un peu de coquetterie et de désir de plaire ne leur allait pas mal.* On était souvent frappé de l'étendue de leurs ressources, du brillant de leur imagination, de la grâce et de la politesse de leur esprit. Même, note cette fois un Bernois, miracle! *dans ce pays-là, les vieilles filles ne sont pas ridicules, ni prudes.* Homme sage, Gibbon concluait: *Il m'a toujours paru qu'à Lausanne les femmes sont très supérieures aux hommes.* Et, bien plus tard, Mᵐᵉ de Staël elle-même: *Pour faire une société agréable, il faudrait les hommes de Genève et les femmes de Lausanne.*

Qu'un Genevois épousât une Lausannoise, on avait donc le couple idéal. Germaine de Staël était la fille élevée à Paris, pour plus de perfection, d'un tel couple. Son père, Jacques Necker, descendait d'une famille de pasteurs poméraniens, dont un rejeton s'était dans le premier quart du XVIIIᵉ fixé à Genève, où il avait enseigné le bon ton à de jeunes Anglais comme il enseignait le droit aux Genevois. Jacques s'en fut à dix-sept ans faire de la banque à Paris. (C'était pour les Genevois une sorte d'industrie nationale.) Il en avait à peine passé trente lorsqu'il gagna son premier million. Les autres suivirent promptement. Necker pouvait songer à se marier.

Le parti manquait peut-être un peu de séduction. Selon plusieurs témoignages concordants, on n'avait jamais vu personne qui lui ressemblât, au physique. Quant au moral... *Voilà l'homme, hors des grandes affaires, néant*, devait écrire tôt après à des amis lausannois celle qui accepta de devenir sa femme. Il épousa, à trente-deux ans, la plus pauvre gouvernante suisse de Paris, orpheline d'un pasteur de campagne vaudois, Suzanne Curchod.

Jacques Necker,
par J. S. Duplessis (1781).

Dans une certaine optique protestante, c'est la vertu qu'un Dieu exigeant mais juste récompense par le succès en affaires. Il est permis de dire sur ce point que M. Necker ni Mlle Curchod ne firent de leur vie meilleure affaire que leur mariage.

Elle s'arrachait à des humiliations dont le charme de ses traits, son intelligence, son savoir, ni ses mérites, qui tous étaient très grands, ne l'avaient pu tirer. (C'était, mais pauvre, la « femme supérieure » de Lausanne selon Gibbon, et Gibbon, trop sage, l'avait assez vilainement abandonnée, après s'être fort avancé auprès d'elle.) Necker trouva dans Suzanne tout ce qu'il faut à un ambitieux du type solennel pour établir sa situation dans le monde, et mieux encore: en même temps qu'une inspiratrice, un chef de propagande incomparable. Leur alliance fut prodigieusement efficace, leur ménage exemplaire. Ils n'eurent qu'un enfant, qui naquit à Paris le 22 avril 1766, mais ce fut Anne-Louise-Germaine Necker de Staël. De l'ordre du chef-d'œuvre, elle aussi.

Suzanne Necker, née Curchod,
par J. E. Liotard.

Ils n'en doutèrent d'ailleurs pas un instant, à ce qu'il semble. Cependant que
M. Necker, juché sur sa fortune, atteignait un premier barreau de l'échelle des honneurs
— Genève, ici encore, le servit, la République parvulissime l'ayant fait vers ce temps
son ministre résident auprès de la Cour de France —, Mme Necker voua tout le temps
qu'elle ne consacrait pas à son salon, où fréquentait le parti philosophique, à l'éducation
de la fillette. Elle trouva d'ailleurs bientôt une formule qui dut lui paraître excellente:
elle installa son élève au salon.

Pouvait-on trouver pour elle meilleurs maîtres que Marmontel, l'abbé Raynal,
d'Alembert, Diderot, Buffon, Grimm, et tant d'autres, à peine moins illustres? Germaine
s'asseyait donc sur un petit tabouret, écoutant avec passion. Si portée qu'elle dût être
plus tard à parler, elle ne perdit jamais cette faculté d'attention ni celle de tirer parti de
tout ce qu'elle avait entendu.

Madame et Mademoiselle
Necker devant le buste
de Monsieur Necker,
dessin aquarellé de
Germaine Necker,
portant sa signature,
exécuté pour la fête
de son père.

Cependant M. Necker, qui avait quitté la banque pour la Compagnie des Indes, puis cette administration pour traiter par écrit, libre de tout souci matériel, les grands problèmes de l'économie et de la politique, approchait du pouvoir. Dès 1776, il y touchait puisque le roi lui confia, à lui étranger et hérétique, la direction du Trésor, et l'année suivante celle des Finances. Avec l'aide de sa femme, il s'était hissé sur un piédestal dont, aux yeux de sa fille, il ne redescendit jamais.

Germaine avait douze ans quand son éducation porta ses premiers fruits. Ses nerfs cédèrent. Peut-être lui aurait-il fallu la Suisse. On la mit à Saint-Ouen, ce qui était tout de même la campagne. Bien qu'elle en occupât les loisirs à faire jouer sa première œuvre dramatique, deux actes sur *Les inconvénients de la vie à Paris*, elle s'y rétablit, tout en demeurant à jamais d'une sensibilité extrême. Echappant à sa mère, à laquelle elle ressemblait fort, elle se réfugia toujours plus dans les livres et dans le culte de son père. Et lorsqu'en mai 1781 ce père se trouva écarté du pouvoir pour avoir publié avec trop de succès sa propre apologie, le coup fut terrible pour la jeune fille. Mais l'injustice ne peut que grandir les grands hommes. Germaine fit du sien une sorte de Dieu. Elle avait pour excuse de voir la moitié de la France en faire autant.

Ce furent donc des Necker en disgrâce qui gagnèrent la Suisse en 1783. Premier séjour attesté, pour Germaine. La péronelle — qu'on imaginerait volontiers insupportable, après une éducation aussi parfaitement manquée — voici comment, à Nyon, un gentilhomme vaudois la vit alors: *Mademoiselle est naturelle, vive et gaie. Elle aime son père, c'est ce qui se voit.*

Guiguer de Prangins, c'est le nom du brave homme, devait retrouver le trio dès le printemps suivant, soit en 1784, à Lausanne cette fois, au château de Beaulieu. Dès leur arrivée — c'est une affaire d'impression qui a mené Necker dans cette ville dont le livre constituait la première industrie — le gentilhomme campagnard s'empresse d'aller rendre visite au grand financier. Un fiacre « tout semblable à ceux de Londres » le conduit à Beaulieu par les très mauvaises « rues-précipices » de Lausanne.

Beaulieu, « campagne très agréable », se trouve au couchant de la ville, sur la hauteur. Les baies de sa façade semblent au niveau du donjon de la cathédrale, juché pourtant sur la haute colline de la Cité. Massif, cachant presque la lanterne pointue qui surmonte le chœur, ce donjon se détache, déjà bleuté, sur le bleu des Préalpes et des Alpes. Pour Germaine, qui se sent et se veut disciple de Rousseau, c'est la direction de Clarens, du Bosquet de Julie. A Beaulieu, le soleil se lève sur le fond de scène de la *Nouvelle Héloïse*.

Le terrain est en forte pente. Château et dépendances s'appuient à cette épaule de mollasse — où les carriers taillent de grands trous rectilignes, aux parois couleur de vieux beurre — qui abrite d'abord des campagnes quasi seigneuriales, appartenant à un certain colonel Constant, et plus loin ce Mézery, dont Germaine ne peut se douter qu'elle sera dans dix ans la dame, douloureuse, voire pour les Lausannois un peu scandaleuse.

Necker, qui vient d'acheter Coppet, son château plutôt, dominant le dernier bourg vaudois aux portes de Genève, attend pour y faire une entrée solennelle — bombardes et cavaliers! — que les réparations les plus urgentes soient achevées. Il y fait repeindre les fenêtres, *et comme elles sont toutes délabrées* — note Guiguer, avec un sourire peut-être pour le baron de fraîche date, car le ministre a acheté le blason avec les girouettes — *l'argent ne suffit pas pour les fermer, il faut quelque temps*. Logé aux portes de Lausanne, Necker se trouve de plus à même de surveiller son imprimeur et les épreuves de son *Traité sur l'administration des finances de la France*.

Le lieu semblait propice à cette docte besogne. Le propriétaire de Beaulieu, M. Mingard, était pasteur. Son mariage avec la fille d'un échevin de Rotterdam lui avait-il valu des rentes qu'une cure de campagne ne procurait certes pas? Il avait racheté la gentilhommière à un colonel bernois, qui se ruinait à la construire, et l'avait achevée aux moindres frais. Dans le château d'aujourd'hui, qui a peu changé, on doit peut-être au colonel les peintures du grand salon, ces fêtes galantes et champêtres, inspirées de Watteau, qui conviennent mieux à un officier qu'à un ecclésiastique.

Le château de Beaulieu
(litho de F. Bonnet).

Le pasteur Mingard, lui, était homme de science et de lettres. Il avait traduit de l'italien des pensées sur le bonheur et des réflexions sur l'économie politique, ce qui ne pouvait que plaire au financier ami des lumières, son hôte. Il comptait aussi parmi les premiers collaborateurs de *L'Encyclopédie*, celle d'Yverdon, publiée de 1770 à 1780. Et cela devait plaire plus encore à Monsieur, à Madame et à Mademoiselle Necker. Car *L'Encyclopédie d'Yverdon* n'était pas une simple contrefaçon de celle de Paris, elle lui était aussi une réplique, celle de chrétiens, d'hommes religieux en tout cas, se voulant philosophes sans adopter ni répandre les coupables propos des philosophes de Paris. Ils en avaient donc supprimé les « opinions et maximes » pour les remplacer précisément par celles de M. Mingard et de quelques autres ministres du Saint-Evangile, lesquelles n'en soulevèrent pas moins les clameurs ridicules des bigots.

A Beaulieu, ni la dot de la fille de l'échevin, ni moins encore les droits d'auteur du pasteur n'avaient permis d'achever la bâtisse. Le corps de logis sis à l'orient élevait ses deux étages discrets, timbrés de quelques ornements Louis XV, entre une tour à clocheton, au nord, et les jardins, au sud. Une allée, dont il ne reste que les derniers arbres, aboutissait à cette façade. Très symétrique, la façade méridionale avait plus grande allure, particulièrement le corps central, plus orné que les deux ailes, sous son toit de tuiles brunes percé de fenêtres à la Mansard — presque un trompe-l'œil pourtant, tant la demeure a peu de profondeur, entre les parterres à la française et une cour, très rustique, ouverte sur la pente. Quant au corps de logis du couchant, pendant du premier, il n'est guère plus qu'un décor, un noble portant auquel s'adossent les communs. Logés à l'est, les Necker pouvaient l'ignorer. Des jardins, l'illusion était presque entière. Des salons largement ouverts sur l'allée et la terrasse, des appartements à l'étage, on ne voyait guère que des arbres, des vergers, le lac, les Alpes.

Mme Necker retrouvait là ce qu'elle appelait toujours sa patrie. La nature lui parlait « avec éloquence », mais sur un ton fort raisonnable, car il suscitait aussitôt une réflexion morale: cette éloquente nature lui semblait se dédommager ainsi de n'avoir dans ce pays point d'interprète. Les Lausannois, pour tout dire, la décevaient. La société de 1784 lui paraissait moins aimable que celle où, vingt ans plus tôt, présidente de « l'Académie des Eaux », elle avait connu dans ce même Lausanne les triomphes d'un très joli bas bleu.

La jeune Germaine adopta sur ce point les vues de sa mère, en les amplifiant. Elle écrivait de Beaulieu, en juillet, à un destinataire inconnu *, mais certainement parisien: *si l'on vivait dans la solitude, on croirait ce pays la patrie des plus grands hommes. Dans ces campagnes*

Germaine Necker,
vers sa treizième année,
par Carmontelle.

presque merveilleuses — merveille de ce *presque*!
— *on ressent toutes les impressions nécessaires à la poésie, l'enthousiasme et la sensibilité. Mais comment se résoudre ensuite à faire retentir les plus belles montagnes du monde par le bruit de quelque discours insipide, et à se promener avec ceux qui les tiennent sur le bord des ruisseaux les plus délicieux?*

Mme de Staël ne démordra jamais de cette opinion-là. *Les Suisses*, dira-t-elle dans *L'Allemagne*, un de ses derniers ouvrages, *ne sont pas une nation poétique et l'on s'étonne avec raison que l'admirable aspect de leur contrée n'ait pas enflammé davantage leur imagination.*

Si la mère trouvait la société moins aimable, Germaine estimait-elle peut-être qu'elle ne lui faisait pas la place assez belle? M. de Prangins le donne à penser. *Mlle Necker paraît. Elle est telle que l'année passée, vive et gaie, spirituelle, et n'ayant pas besoin pour être agréable de se tenir sur la réserve.*

Mal élevée, vaine, mais de bon caractère, elle est douée de beaucoup plus d'esprit que de beauté, nota un Gibbon sans indulgence. Et M. de Charrière notait, lui: *Elle est laide, mais elle a quelque chose d'agréable dans les yeux; ils ne sont pas doux, mais ils annoncent de l'intelligence et du naturel.*

25

Château de Beaulieu, le grand salon.

La société de Beaulieu n'était point négligeable. Guiguer y rencontre le célèbre abbé Raynal, père de l'anticolonialisme, dont *la conversation nous endoctrine beaucoup*. Puis, naturellement, M. Gibbon : *personne n'a moins l'air d'annoncer sa célébrité, et de se presser d'être l'homme aimable*. Il passera même un Constant (s'il y en a dans toute l'Europe, il s'en trouve surtout à Lausanne, leur ville). C'est d'Hermenches, un vieux beau, le père de Constance, la future hôtesse de Montchoisi. A défaut des bords d'un ruisseau délicieux, il y avait là compagnie à animer un salon tendu de toiles à la Watteau, où dames et cavaliers se prélassent dans des verdures profondes et si hautes qu'alors déjà peut-être elles viraient à l'obscur...

Si, comme le veut la tradition, Germaine cet été-là a joué la comédie à Beaulieu, dans une vaste antichambre boisée, ou même au grand salon, sur les beaux parquets en dé, en étoile, en rose des vents, au pied de « la dame en jaune » du concert champêtre, elle a dû connaître des succès. Mais pour régner, et régner à Beaulieu, il lui faudra attendre dix ans, et la fin d'un monde.

Pour l'instant, n'essayons pas d'en savoir plus qu'elle n'en savait dans ses illusions de la dix-huitième année, *tellement agitée par le torrent des plaisirs* — aux dires, pas forcément perspicaces, de sa mère — *qu'elle n'avait jamais été si heureuse*. Accompagnons plutôt M. de Prangins sur le chemin du retour. Son récit n'a rien à voir avec notre histoire mais, peut-être parce que l'excellent gentilhomme ne se piquait pas trop de lettres et qu'il éprouvait, après tant de brillantes mondanités, le besoin de se détendre un peu, cette page de son journal est exquise.

Le cabriolet est venu de Lausanne où nous l'avions laissé et nous redescendons au lac vers le midi, par un chemin charmant, dans une contrée habitée et cultivée partout, meublée de maisons de campagne, ornée et couverte de beaux arbres et d'épaisse verdure. Et puis Morges, et puis la fraîcheur et la tranquillité d'une belle soirée après une journée brûlante et l'incommodité de la poussière. Le pas des chevaux se ralentit, et nous voilà, me semble-t-il, retournant des champs à nos femmes qui vont nous donner une bonne salade et de doux propos; à quoi elles ont su pourvoir.

Benjamin Constant, bientôt, nous ramènera au Pays de Vaud. Pour l'heure, il nous faut suivre Germaine. Elle quitte la Suisse à l'automne 1784 pour passer l'hiver en Provence. Et le trio rentre enfin à Paris, où se mène plus qu'une intrigue: une négociation, diplomatique à plus d'un titre, le mariage de Mlle Necker.

Une mère plus ambitieuse encore qu'elles ne le sont d'ordinaire lui avait trouvé un fiancé idéal: Pitt, le futur champion de l'Angleterre dans la lutte contre la France révolutionnaire, déjà homme de finances et d'Etat. Ce projet d'alliance devait assurer la paix entre les deux pays; il n'aboutit, Germaine l'ayant énergiquement repoussé dès 1783, qu'à mettre la guerre dans la maison Necker.

Du projet Pitt, Mlle Necker garda pourtant l'idée qu'il lui siérait tout à fait d'épouser un grand homme. *Quelle heureuse créature j'aurais été*, note-t-elle dans son journal, *si une quatrième personne telle que mon cœur se la représente était venue à nous, si c'eût été un grand homme admirateur de mon père, une âme sensible qui m'eût aimée, que j'aurais aimée!* Et de s'imaginer l'exemplaire trinité Necker enrichie de cette quatrième et géniale unité: *Quel imposant spectacle que la réunion de deux hommes de génie, de deux femmes nobles et vertueuses, quel bonheur intérieur qu'une telle société se retrouvant tous les jours, quel charme pour moi de porter le nom des deux plus grands hommes de mon siècle, de ne vivre que pour eux, de n'exister que pour eux...* Germaine ne devait pas, de vingt ans, renoncer à ce programme. Constant l'aidera seul — aux yeux de la postérité — à le réaliser.

En attendant, elle consentit à épouser M. de Staël. Si jamais l'expression: jeter son dévolu sur quelqu'un, a eu un sens, c'est bien dans le cas d'Eric Magnus Staël von Holstein, né en 1749, d'une famille de soldats suédois, chambellan à Stockholm par la grâce du roi Gustave III qu'il avait eu la bonne fortune d'appuyer dans un coup d'Etat, diplomate à Paris par un coup d'audace, baron par sa propre grâce, sans le sou, mais plein de succès auprès des dames à la mode et, d'abord, de la première d'entre elles, la reine Marie-Antoinette. Germaine n'avait guère que douze ans quand ce seigneur intéressant et démuni, de dix-sept ans son aîné, envisagea pour la première fois de s'assurer sa fortune

Portefeuilles d'ambassadeur
du baron de Staël
(celui du haut est à ses armes).

par le biais du mariage. Il fit miroiter autour de lui les avantages de cette idée. Le roi de Suède, comme la reine de France, la trouva fort belle.

Lorsqu'on les en saisit, les Necker parurent moins séduits. Le Suédois n'avait pour lui que son protestantisme et sa noblesse. Diplomate assez habile pour obtenir, sans titre solide, des audiences particulières de la reine, il travailla donc sept ans à s'en assurer d'autres. Les Necker posaient des conditions, qu'ils souhaitaient peut-être irréalisables. Ils voulaient pour lui des brevets, des décorations, des faveurs, et la plus extravagante de toutes: l'ambassade suédoise de Paris, à vie!

Un tiers larron se présenta. Puisque c'est à lui qu'on demandait ces faveurs, le roi Gustave entreprit de les monnayer. Et cela nous vaut — sans date, mais elle se place vers le temps du premier séjour de Germaine en Pays de Vaud — cette admirable dépêche du souverain à Staël, qui n'est encore que secrétaire d'ambassade : *Une recommandation aussi honorable pour vous que celle de leurs Majestés très capétiennes me détermine à vous confier mes affaires... Profitez des bontés de la reine de France et rendez-les utiles à votre Patrie... La première négociation que je vous confie c'est l'acquisition d'une île en Amérique, acquisition qui me tient infiniment à cœur. C'est celle de Tobago que je veux. Si vous réussissez par votre adresse et par l'envie que vous pourrez faire naître à la reine de France de justifier la recommandation par le succès d'une aussi importante négociation, vous serez mon ambassadeur; mais si vous n'obtenez pas Tobago (car c'est Tobago que je veux) je dois vous dire avec sincérité que vous devez renoncer à l'ambassade...*

Staël n'obtint pas Tobago, mais une autre des îles Sous-le-Vent, minuscule, celle de Saint-Barthélemy. Gustave III s'en contenta. Les Necker, toujours écartés du pouvoir, firent aussi des concessions. Le 6 janvier 1786, la famille royale signait le contrat à Versailles.

Tout le monde est d'avis que Mlle Necker a fait un très vilain mariage. Les trois Necker n'étaient peut-être pas loin de penser de même. Eussent-ils été d'un autre avis, ils auraient passé la remarque à son auteur. C'était Catherine II, impératrice de toutes les Russies.

Mme de Staël s'installa à la rue du Bac, dont elle devait plus tard préférer si haut le ruisseau, assez infâme, à la vue du Léman. Si l'on a raconté l'histoire difficile à croire de ce mariage, c'est surtout qu'elle situe la jeune femme, et l'idée qu'elle pouvait se faire de sa propre valeur : pour elle, la reine de France avait donné une île au roi de Suède! L'accord matrimonial entre Puissances, roturières ou royales, comportait cependant une autre clause encore : Staël avait promis de ne jamais contraindre sa femme à résider en Suède.

Pour Germaine, on n'en peut douter, c'était là l'essentiel. Au moment où ses parents menaçaient de se retirer dans leur château de Coppet, Eric apparaissait non comme le mari idéal, mais comme l'homme qui, « ambassadeur à vie », lui donnait l'assurance de vivre toujours à Paris. L'exact opposé de Pitt, qui l'eût emmenée en Angleterre... D'où son non, d'où son oui.

Benjamin Constant, enfant.

IV

LAUSANNE — AUTOMNE 1767

Je suis né le 25 octobre 1767, à Lausanne, en Suisse, d'Henriette de Chandieu, d'une ancienne famille française réfugiée dans le Pays de Vaud pour cause de religion, et de Juste Constant de Rebecque, colonel dans un régiment suisse au service de Hollande. Ma mère mourut en couches, huit jours après ma naissance.

Ainsi commence l'un des récits les plus parfaits de Benjamin Constant. Ecrit vers 1811 — toujours l'année décisive, l'année de la rupture enfin consommée avec Germaine — il ne fut publié qu'en 1907, sous le titre du *Cahier rouge*. Constant l'avait intitulé *Ma vie*, sans pour autant remplir le dessein qu'il annonçait. Le cahier s'arrête brusquement sur un duel manqué. Cinquante pages d'imprimerie suffisent à l'histoire de vingt ans.

Ce récit aurait pu tout aussi bien s'intituler: mes sottises, mes extravagances, ou encore *Mes enrageries*. Tous ces mots sont dans le texte. Benjamin peut ne s'intéresser vraiment qu'à son propre personnage, il n'est jamais complaisant à soi-même. Il n'est pas porté non plus à la confession publique. Il constate, il revit — vite, mais pleinement — il explique.

Il s'explique aussi. Il plaide, « pro domo ». Au moment où il commence *Ma vie*, *Cécile*, *Adolphe* même, son chef-d'œuvre, il entend assurément se justifier. Mais, très vite, cette besogne le lasse. Il l'abandonne. Le souci de comprendre, de se comprendre, l'emporte, en même temps que le gagne une émotion, parfaitement contenue du reste, à évoquer ce qu'il a vécu: la « mémoire du cœur » s'éveille. Même dans ce récit où Benjamin se donne pour ce qu'il fut, ou plutôt crut être, en ce temps fou de sa jeunesse: un

petit maître, un roué très naïf, un
neveu de Voltaire au pays de
Rousseau et de sa *Nouvelle Héloïse*,
on distingue fort bien les passages
où cette mémoire, s'éveillant, enri-
chit le conte ironique et vécu d'har-
moniques émouvantes.

Elles ne vibrent pas quand il
parle de Lausanne, s'il en parle.
Peut-être parce que ce nom n'est
pas lié au souvenir d'une mère. Il
fut radicalement privé de tout ce
que représentaient les « femmes de
Lausanne ». De sa mère, il ne
connaît guère qu'un portrait, qui
la montre, jolie rousse aux yeux
clairs, offrant un visage impéné-
trable. *C'est la fille la plus réservée
que j'aie jamais vue*, devait dire son
mari, et, dans cette société qui a
tant parlé, tant écrit, et si bien
conservé ces témoignages qu'ils
nous sont parvenus en masse, elle
est déjà parmi les vivants l'ombre
sans voix et sans trace qui empor-
tera tôt au royaume de ses semblables son secret, si elle en avait un.

Deux grand-mères se disputent l'enfant. Ni la générale de Constant, ni la générale de Chandieu ne l'emporte. Le veuf exerce ses droits. La famille de Benjamin était fort en vue, et très redoutable. Elle venait de l'Artois: ces religionnaires s'étaient expatriés pour des motifs où la politique entrait, à ce qu'il semble, autant que la foi. C'était une race énergique, prolifique, intelligente et entreprenante. L'arrière-grand-père, pasteur et professeur, fut recteur de l'Académie de Lausanne: il plaisanta jusque dans son épitaphe. Le grand-père était soldat, au service des Pays-Bas. Dans le chœur de la cathédrale de Lausanne, la stèle de son tombeau énumère ses campagnes et ses sièges. C'est, sur du marbre gris, écrit par un compagnon du grand Malbrough, un beau cours d'histoire.

Le père, Juste — on a peine à le croire — entra à l'armée à l'âge de dix ans, comme « cadet actif » dans le régiment suisse que commandait l'auteur de ses jours, qui mourut général et baron. A douze ans, il était enseigne, à dix-sept ans lieutenant, et en campagne sur le Rhin. Mais il lui faudra attendre vingt années encore pour s'acheter une compagnie, ajouter donc à sa solde des rentes. En un mot: pour se faire une situation, et pouvoir se marier...

Juste Constant de Rebecque, serait-ce le type de ces « hommes de Lausanne », si inférieurs à leurs femmes? La ville et ce petit Pays de Vaud dont elle n'est pas encore le chef-lieu se profilent derrière sa silhouette de cadet. Ville et pays pourraient peut-être nourrir leurs nobles et les plus distingués des bourgeois. Soumis à Berne, ni Vaud, ni Lausanne ne peuvent en aucun cas satisfaire les ambitions des uns ni des autres. Ces hommes se vouent donc au service étranger. Certains se font soldats, les autres — grâce à l'Académie de Lausanne, qui fut en Europe la première haute école des protestants de langue française, et au bon ton des salons de cette même ville — se consacrent au préceptorat: ils sont « gouverneurs » de princes innombrables, lesquels sortis de pagerie les conservent souvent comme conseillers ou diplomates. Au temps de la douceur de vivre, ils sont comme les derniers représentants d'une Europe qui fut grande, celle des traités de Westphalie.

Des armées de tout le continent, des cours et châteaux d'Allemagne, ces Messieurs
reviennent sur les bords du Léman « en semestre », c'est-à-dire pour de longs congés.
Ils quittent le service, non l'étranger: on sait déjà la place que tiennent les étrangers à
Lausanne. Voltaire, avec ses trois séjours de 1756 à 1758, a définitivement lancé la ville.
Avant lui, déjà, elle avait le goût des lettres, du théâtre et du roman. Sa mondanité se

teinte fortement de bel esprit. Genève préférera les affaires et les sciences. On ne s'étonne
pas trop que les femmes soient souvent plus à l'aise dans ce climat lausannois que les
hommes, et l'on verra les romancières se multiplier dans la ville aux trois collines. Si les
hommes ne renoncent pas tous à écrire — Samuel de Constant, un des oncles de Benjamin,
a laissé avec le *Mari sentimental* un roman qui pourrait se lire encore — ils ont des soucis
plus terre à terre: maisons, fermes et vignes.

Les vignes, en particulier, assiègent la ville de leurs échalas. A l'automne les rues
sentent fort la vendange. En d'autres saisons, l'écurie, le poulailler, et même l'étable.
De cela, on a conclu que le Lausanne de l'Ancien Régime finissant était d'abord un bourg
agricole. Or tout cela apparaît au contraire — les villes tentaculaires l'ont fait ensuite
oublier — comme un trait commun à toutes les petites villes européennes de l'époque, et
même à quelques grandes! Ce qui distingue Lausanne de bourgs innombrables, c'est un
début d'industrie — on a vu que celle du livre y florissait — ses bains et ses cures, ses

La Chablière.

salons, sa vie intellectuelle et mondaine. Lausanne est alors* une « Residenzstadt »: une ville princière et universitaire à la mode germanique, mais sans prince, sinon de passage, et qui parlerait français.

Juste Constant avait su se montrer bon administrateur. Il avait arrondi l'héritage paternel, réunissant en un mas les plus belles campagnes alignées à l'ouest de la ville, contre cette épaule de mollasse où, déjà, nous avons vu se loger Beaulieu. La plus belle est la Chablière. Benjamin, qui en deviendra prématurément le maître, songera en 1796** à s'y installer avec Mᵐᵉ de Staël.

C'était alors, à en croire Bernardin de St-Pierre qui la décrivit sans l'avoir vue, *une petite maison, avec une galerie soutenue par des colonnes de bois, doublée par un berceau d'acacia, et des vignes, une allée de cerisiers, une vue ravissante du lac Léman.* Sophie Laroche, l'amie de

Goethe, y arrive, elle, *à travers une allée de plus de deux cents pas, toute plantée de beaux pruniers et mirabelles en fleurs.* Œuvre d'un propriétaire subséquent, la façade Empire de la Chablière donne aujourd'hui une idée au moins de cette belle demeure, dont la bibliothèque et la vaisselle d'argent se révélaient, les inventaires en témoignent, également seigneuriales. Juste avait d'ailleurs rêvé d'en faire un fief noble, sous le nom de Chalamont. Ç'aurait pu être, si les Bernois l'avaient voulu, celui de Benjamin Constant...

A la Chablière, l'oncle Samuel, son locataire, avait installé, « au bout d'une allée majestueuse », dans une sorte de temple (à la nature, comme il se doit), le premier monument jamais élevé à Jean-Jacques Rousseau, une « statue pédestre accompagnée d'allégories ». Benjamin put l'y admirer. Il est plus probable qu'il en fit des gorges chaudes: l'ensemble était à l'éloge de l'éducation nouvelle. Le jeune homme n'en avait que trop goûté.

On a dit de Juste qu'il était une première effigie de Benjamin, plus terne, d'un moindre relief. C'est lui faire trop et trop peu d'honneur. Il n'eut point le génie, ou le goût, de s'exprimer. Pour ce qui est des extravagances, des enrageries, il atteignit à des sommets où son fils ne put, si fou qu'il se montrât, jamais le rejoindre.

Beau, grand, cultivé, fort spirituel, il poussait à l'extrême l'esprit de la tribu. Original breveté, de caractère et d'idées — une boiserie du château de Mézery, jadis à Hermenches, le fief de la famille, le montre pêchant à la ligne, en robe de chambre! — il avait l'humeur des Constant, leur « terrible humeur », cette inquiétude qui leur courait dans le sang, les nouait sur eux-mêmes, les vouait à l'orgueil, à la timidité, à l'ironie, à la versatilité aussi: *Sola inconstantia constans, Constant à la seule inconstance.*

Bien avant son mariage, à trente-cinq ans, le capitaine Juste enlève une paysanne qui n'en avait que neuf, pour ce qu'on lui a dit de son intelligence. Il la fait passer pour sa nièce et l'emmène aux Pays-Bas. (Cela fit à Lausanne « un bruit affreux », ce qui se comprend.) Entend-il, tel l'Arnolphe de Molière, « en femme comme en tout » ne suivre que sa mode?

Juste de Constant pêchant à la ligne, par
Dalberg, boiserie du château d'Hermenches,
à Mézery (1757).

Je me vois riche assez pour pouvoir, que je crois,
Choisir une moitié qui tienne tout de moi
Et de qui la soumise et pleine dépendance
N'ait à me reprocher aucun bien ni naissance.

A l'Arnolphe vaudois, la nouvelle Agnès dut jusqu'à son nom. Il la baptisa Marianne. Au rebours du bonhomme, Juste n'entendait pas en faire une sotte. Il lui fit donner une très bonne éducation. A la mort d'Henriette sa femme, c'est à cette fille de tout juste vingt ans qu'il confia bientôt Benjamin. Ils vécurent à la campagne, au pied du Jura, près de l'Isle, dont les Chandieu étaient châtelains, ou bien aux portes de Lausanne, au « Désert », domaine que Juste avait acquis et rebâti, jouxtant la Chablière et qui, regardant vers Genève, domine dix lieues carrées d'un pays fait de vagues vertes, et bien plus de lac encore.

Marianne s'occupa de l'orphelin avec autant de cœur que de sens. Juste lui signa bientôt une promesse de mariage, qu'il tarda beaucoup à tenir pour ce qui est des formes légales. Mais, plus heureux qu'Arnolphe, il trouva dans sa pupille une épouse qui supporta et la fausseté de sa situation — Benjamin ne comprit qu'à vingt ans la position de son ancienne gouvernante! — et le terrible caractère de son époux. Tenir la gageure de *l'Ecole des femmes* fut peut-être la seule réussite incontestable du colonel.

Voltaire (assis à gauche) suivant, sur l[a]
scène de Mon-Repos, à Lausanne
une représentation de « Zaïre » (boiseri[e]
du château d'Hermenches, à Mézery)

Il fut moins heureux avec son fils. L'enfant étonnait Lausanne par ses dons: *avec le génie de Benjamin, on peut suffire à tout, il n'est guère possible d'en annoncer plus.* Il éblouit son père plus encore: *il faut continuellement applaudir Benjamin, sans cela il n'est pas content, et c'est moins lui que son père qui souhaite les applaudissements...*

Constant, dans les pages irrésistibles qui ouvrent le *Cahier rouge*, a dit le plus grand mal, et sans doute à raison, de ses précepteurs. Il leur dut en effet de prendre les plus mauvaises habitudes, de connaître trop tôt les plus mauvais livres et les plus mauvais lieux. Mais il ne faut pas s'y tromper, c'est une éducation de prince, et de prince éclairé, qu'à grand prix le colonel entendait donner à son fils. Le confiant à des « gouverneurs », même peu dignes, il l'arrachait à bien pis. Qu'on en juge!

Parmi ses cousins, Benjamin en avait un, Charles, un fils de Samuel le romancier, celui qu'on appellera le Chinois, parce qu'à seize ans et demi sa famille l'envoya à la Chine avec mission d'y relever une fortune fort compromise.

On l'avait à six ans, avec son frère aîné, mis en pension à Lausanne, chez un ex-jésuite qui les affamait. Ceci dans la ville même, à quelques pas des demeures où les Constant et leurs amis traitaient la moitié de l'Europe mondaine, et Voltaire. Un jour précisément, la tante des jeunes Constant, la marquise de Gentil-Langallerie, invita les petits pensionnaires dans sa maison de Mon-Repos, pour voir, sur l'illustre théâtre de sa grange, les amateurs les plus distingués de la ville, dont sans doute quelques Constant, fort amis des philosophes et de ces jeux, représenter *Nanine*, devant l'auteur.

Peu soucieux de mondanités, le plus jeune représentant de la tribu s'en fut fouiller la maison, cherchant de quoi manger. Il trouve un pain, la joie est grande. Si grande qu'il oublie tout, arrive sur le théâtre au milieu de la représentation et, toujours serrant sa miche, s'avance sur la scène en criant à son frère: — Juste, Juste, voici du pain!

Benjamin, lui, en puissance de précepteur, suit son père ou les caprices de ce père. De Bruxelles, il écrit à sa grand-mère Constant des lettres exquises. C'est pour regretter la campagne lausannoise de sa petite enfance. *Je voudrais bien voir toutes les jolies choses que*

Vue de la campagne du Désert sur le lac et la Savoie.

vous avez faites au Désert et courir avec vous dans le bois... J'irais rêver à Belle-Ombre — avec l'argent de Germaine, il achètera un jour la campagne voisine de la Vallombreuse — *mais ce que j'aimerais encore mieux serait de faire des songes avec vous...* A dix ans, il apprend Ovide en lisant dans les yeux d'une jeune Anglaise, et écrit pour elle un « petit roman ». A douze, c'est un opéra qu'il compose, les vers et la musique. (Benjamin enfant atteindra, au clavecin, à la virtuosité. En Allemagne, jeune homme, il emmènera son « forte-piano ». Puis, assez mystérieusement, la musique disparaîtra de sa vie. Dans son œuvre, on n'en entend plus résonner une note.) Son père, alors, le lance dans le monde. Il voit jouer, rouler l'or, note déjà son émotion à ce spectacle. C'est dans sa vie l'annonce d'un thème maléfique. Il jouera comme un perdu. Et perdra tout.

Juste imagine alors d'emmener son fils en Angleterre. But: Oxford, l'université d'Oxford. Etudiant de treize ans, trop grand de taille et d'esprit pour son âge, le voilà lancé seul dans le monde, possédé d'une sorte de frénésie: *je voudrais qu'on pût empêcher mon sang de circuler avec tant de rapidité, ...j'ai essayé si la musique pouvait faire cet effet; je joue des adagios, des largos qui endormiraient trente cardinaux, les premières mesures vont bien, mais je ne sais par quelle magie ces airs si lents finissent toujours par devenir des prestissimos... Je crois que le mal est incurable...*

Prestissimo! Ce sera désormais la cadence de Benjamin. Tout trop tôt, et tout trop vite. Juste, loin de freiner, claque du fouet. Retour aux Pays-Bas, et au préceptorat. Séjour en Suisse, puis départ pour Erlangen, Allemagne: université et vie de cour, études solides et folies, plus ou moins feintes. D'où rappel à Bruxelles. 1783: troisième université. C'est Edimbourg. Constant y découvre l'amitié, l'éloquence et la philosophie; il s'en enivre, sans renoncer pour autant à l'étude, ni aux enrageries. Il découvre aussi les libertés civiles et les débats publics; sa vocation de grand parlementaire naît dans les clubs d'étudiants d'Edimbourg. Ses amis écossais ou anglais garderont longtemps le souvenir, un peu mêlé, du jeune baron vaudois, de l'étudiant aux cheveux rouges qui écrivait, après l'avoir sans doute répété: — *Je me tue, donc je m'amuse...*

Pour Juste, cet étudiant doit devenir un homme du monde, homme d'esprit, homme de lettres peut-être, et grand homme assurément. Benjamin a dix-sept ans. N'est-il pas grand temps de l'envoyer dans le seul endroit de la terre où il puisse s'acquérir de tels mérites, à Paris? On le confie donc à Suard, publiciste, académicien, dont la femme tient un brillant salon. Trois mois plus tard, nouveau rappel: trop d'enrageries, et trop de dettes. (Dans la vie de Constant, ce thème des dettes n'est pas tout à fait nouveau. Cette fois il éclate en fanfare. Il se répétera jusqu'aux derniers jours.) A Bruxelles, un fait notable, le roué tombe amoureux, d'une Genevoise. *Mme Johannot s'est placée dans mon souvenir différemment de toutes les femmes que j'ai connues... Elle ne m'a fait acheter les sensations douces qu'elle m'a données par aucun mélange d'agitation ou de peine...* Juste interrompt l'intrigue, et ramène son fils à Lausanne, au Désert.

Il y passera un an, dès l'hiver de 1785, le temps précisément où se trame et se conclut à Paris le mariage de Germaine. Benjamin se met à écrire. Sujet, assez inattendu: le polythéisme. L'homme est ainsi fait: pendant quarante ans, de quels orages que soit traversée sa vie, il continuera à écrire sur la religion... Les enrageries n'en reprennent pas moins de plus belle: *comme j'avais trois ans de plus qu'à Erlangen, je fis aussi trois fois plus de folies.* Juste juge donc le moment venu de reprendre l'expérience parisienne.

Mais voici qu'à Paris entre dans le registre de sa vie un nom décisif, Mme de Charrière, *la première femme d'un esprit supérieur que j'ai connue* — on devine bien qui sera la seconde — *et l'une de celles qui en avait le plus que j'aie jamais rencontrée.* Cette femme d'âge mûr tient le jeune homme dans une espèce d'ivresse spirituelle. En conséquence, il multiplie les sottises. Un suicide manqué marque l'entrée d'un troisième thème, l'opium — qui tient dans la vie de ces inquiets, Benjamin et Mme de Charrière, aujourd'hui, Mme de Staël demain — la place de nos barbituriques et de nos tranquillisants. Avec les mêmes abus, et les mêmes drames.

Une fugue en Angleterre marque l'an 87. A cheval, à travers le délicieux jardin de l'été britannique. Benjamin ne se lasse pas des plaisirs — les plus sains et les plus frelatés,

Benjamin Constant vers 1787.

Belle de Charrière en 1767,
par R. Gardelle.

du reste. Surtout, il découvre, il goûte une nouvelle ivresse, *l'inexprimable bonheur de la solitude*. Il faut bien rentrer. Non pas à Paris, mais en Suisse, chez Mme de Charrière.

A Paris, Belle — c'était son nom, un peu ironique — avait enseigné à son ami, qui était de vingt-sept ans son cadet, le pessimisme, le mépris des conventions et des hommes, le goût de les défier en recourant à l'extravagance. Ou plutôt elle avait exalté en lui les tendances qui naturellement le portaient à de telles attitudes, tout comme elle aiguisait, magnifiait son don de la conversation, en suscitant les dialogues dans lesquels ils communiaient. Et l'on admirera ce retour du sort. A vingt ans, Belle de Zuylen avait en Hollande subi la « terrible humeur » d'un Constant déjà nommé, le beau Constant d'Hermenches, l'aîné des oncles de Benjamin, un libertin. Elle en était restée marquée, dans son esprit et dans son cœur. Comme s'il avait été écrit que tout devait, chez Constant, concourir à exacerber cette humeur redoutable, à porter à son comble l'inquiétude de sa race, voici que l'enfant sans mère, livré à son seul père et à la pupille que son père déjà avait jalousement façonnée à sa propre image, rencontre une femme qui pourrait être sa mère. Il se prend pour elle d'une sorte de passion, filiale tant elle comporte d'admiration, de souci de plaire en suivant la leçon, et c'est encore et toujours l'empreinte des Constant qu'à travers elle il subit! Benjamin: cuit et recuit au même feu.

43

Reste que chez Mme de Charrière, à Colombier, sur les bords du lac de Neuchâtel, Constant, malade — une servante anglaise lui avait laissé un très fâcheux souvenir — trouvera enfin une maison qui ressemblera à un foyer, *tout cet assemblage de choses paisibles et gaies* qu'à vingt ans il n'avait encore jamais connues — et ne se lassera plus de chercher.

Juste l'en arrache. Comme son fils tarde à remporter des succès littéraires, il lui trouve un état: « Kammerjunker » à Brunswick, auprès du duc régnant, neveu du grand Frédéric. Le duc passait pour le premier général de son temps, réputation que les armées de la Révolution ne démentiront pas sans peine, et pour un grand politique, ce que son fameux manifeste ne confirme guère. Bref, le colonel, qui ne retranchait rien de ses soins, ni de ses ambitions, avait trouvé pour Benjamin un maître remarquable. Mais « Kammerjunker », gentilhomme de la chambre, chambellan, *quelle occupation !*

Il part, au début de 1788. Trois jours après son arrivée, il bâille. Pendant six ans — accomplissant son destin de Lausannois, son service étranger — il n'en tentera pas moins de faire son métier de courtisan.

Juste se charge de le soustraire à l'ennui. Cet officier vaudois commandait un régiment bernois au service de Hollande : il se trouvait être, en somme, presque le sujet de quelques-uns de ses subalternes ! Situation épineuse, pour un homme de son caractère... Les Pays-Bas connaissaient des troubles graves, le régiment aussi. Cela finit par une mutinerie. Le colonel, sûr de son droit, procéda. A la fois militaire et bernoise, la justice lui fut plus que sévère. Au moment d'apprendre qu'il avait perdu quelque douze procès, il disparut. *Quelle lubie,* s'écria Benjamin, *quel désespoir ! Je m'y perds...*

Le colonel se retrouva un mois plus tard, à Lausanne, au moment où Benjamin arrivait en Hollande, avec d'autres Constant, pour faire front. L'affaire, qui ébranla définitivement la fortune du père et du fils — toutes les terres et maisons de Lausanne furent successivement vendues — dura encore huit ans ! (Le colonel fut réhabilité en 1796 par les Pays-Bas et se retira en France avec le titre de général-major.) En attendant, Benjamin put se croire ruiné d'emblée, et déshonoré. Le procès interminable l'écrasa.

Stèle funéraire du général Samuel Constant de Rebecque, dans la cathédrale de Lausanne.

Du pessimisme, il tomba dans la neurasthénie: *je suis quelquefois mélancolique à en devenir fou.* Il avait vingt et un ans.

Son amertume trouve un exutoire. *Il déteste les Bernois, le Pays de Vaud, les campagnes, et n'y remettra jamais les pieds que pour tout vendre*, note l'oncle Samuel. *Il hait la Suisse et veut la quitter pour toujours... Il croit pouvoir se fixer à Brunswick.*

Car Benjamin, en effet, part à la recherche du paradis entrevu à Colombier, rêve de se fixer. Ce qu'il a en tête, c'est un mariage, lequel lui apportera le bonheur calme auquel il aspire, tout en assurant sa position à la cour. (Cette double aspiration, ces vœux si différents étroitement liés l'un à l'autre, on dirait qu'ils correspondent pour l'orphelin errant — selon le droit du temps, Benjamin n'est pas encore majeur! — à l'essence même du mariage: un confort du corps, du cœur et de l'esprit; cela expliquera beaucoup de choses, plus tard.) L'élue était de sept ans son aînée, sans rang, ni fortune, sans beauté, ni grand sens; mais douce, amusante et, aux yeux de Benjamin du moins, touchante.

Wilhelmine dite Mina von Cramm — qu'il épousa le 8 mai 1789 — il la présentera dans *Cécile*, sans trop d'amertume, sans émotion quelconque: *une femme que j'avais épousée par faiblesse, que j'avais aimée par bonté d'âme plus que par goût depuis mon mariage, et dont l'esprit et le caractère me convenaient assez peu.*

Germaine avait épousé Paris. Benjamin se mariait pour ne pas retourner à Lausanne. Deux mariages ratés, après deux éducations manquées — et qui ne devaient pas suffire à détourner le destin.

« Mlle Necker à l'époque de son mariage ».

La maison d'Allinges, à Rolle
(photo ancienne).

V

ROLLE — HIVER 1792

Une taille plutôt petite que grande, et trop forte pour être svelte, des traits irréguliers et trop prononcés, un teint peu agréable, les plus beaux yeux du monde, de très beaux bras, des mains un peu trop grandes, mais d'une éclatante blancheur, une gorge superbe, des mouvements trop rapides et des attitudes trop masculines, un son de voix très doux et qui dans l'émotion se brisait d'une manière singulièrement touchante... C'est Mme de Staël à vingt-sept ans, telle qu'à plus de quarante Constant croit l'avoir vue, la Germaine de la rencontre peinte par le Benjamin de la rupture.

Le portrait sans doute est fidèle, mais la vie lui échappe. Après l'avoir rencontrée à Lausanne, Gibbon décrétait que Germaine possédait *une plus grande provision d'esprit que de beauté.* Elle le savait. (Ecrivain, elle ne dira jamais d'une femme qu'elle est laide. Le mot la brûle.) Ce qu'une jolie fille aurait obtenu d'un sourire, elle le conquérait à force d'éloquence et d'esprit. Beaucoup s'y trompaient. Joseph de Maistre par exemple — encore une connaissance de Lausanne! — estimait qu'elle aurait pu être adorable et n'avait voulu qu'être extraordinaire. Voulu? Ce qu'un philosophe, parfois, peut se montrer obtus... Norvins l'a plus finement relevé: *elle était réellement inconsolable de n'être pas belle.*

A vingt ans, svelte encore, *les traits plus prononcés que délicats,* seuls ses yeux — dont nul témoin, ni peintre n'a pu donner l'exacte nuance, et cela vaut tous les compliments du monde! — frappaient, plaisaient, séduisaient. C'est qu'ils parlaient déjà. Peut-être n'étincelaient-ils pas encore de génie, comme le comte de Guibert, qui les voyait noirs, l'assure. Au vrai, on ne pouvait les oublier.

Officiers vaudois au service de France, durant la campagne de Corse
(debout à gauche, David Constant d'Hermenches,
maréchal de camp, oncle de Benjamin; boiserie peinte de Dalberg, 1757,
au château d'Hermenches, puis au château de Mézery)

On n'oubliait rien d'ailleurs de la jeune ambassadrice. Elle se lança dans Paris, comme dans Versailles, avec impétuosité. Ce dernier mot va, pour des années, décrire sa conduite. *Elle est impérieuse. Elle a une assurance que je n'ai jamais vue à son âge et dans aucune position*, grognait Mme de Boufflers, qui pourtant avait fait le mariage Staël. *Elle est sans aucun usage du monde et des convenances. Elle raisonne sur tout à tort et à travers...* Voilà son crime! La fille de Necker, qui avait grandi « en sauvageonne dans un salon », payait sans doute sa mauvaise éducation, mais bien plus encore son refus de se plier aux règles de modestie affichée que la société de ce temps imposait aux femmes. L'ambassadrice a des opinions. Elle entend les défendre. C'est un scandale.

Dans le long combat qui s'engage entre la société et une jeune femme merveilleusement vive et douée, il y a quelque chose de plus profond cependant, de plus pathétique encore. Ce que la société va interminablement faire payer à Germaine, c'est son optimisme, son goût du bonheur, sa foi naïve dans la bonté de ses semblables (et la sienne propre, qui ne fit jamais de doute à ses yeux). *Jusques à présent, elle a cru qu'il y avait méprise dans la destinée lorsque les beaux jours ne se succédaient pas*, constatait M. Necker, avec plus d'humour qu'on ne lui en accorde d'ordinaire. Il ajoutait que Germaine se corrigerait par degrés. En quoi il se trompait: elle devait garder sa foi, ou ses illusions, jusqu'aux dernières années. Sur ce point, comme sur tant d'autres, elle se révéla indomptable.

Et faible. Germaine en fera un jour l'aveu, sous le couvert de sa *Delphine* dont la conversation déjà — à l'image de l'âme de l'auteur — est un mélange adorable de génie et de candeur: *Je suis faible, je le sens; mon âme, livrée dès son enfance aux mouvements naturels qui l'avaient toujours bien conduite, n'est point armée pour accomplir des devoirs cruels: je n'ai point appris à me contraindre.* Toute de premier mouvement, dominée par ses qualités comme d'autres le sont par les passions, la jeune femme s'est convaincue *qu'il suffisait d'être aimable et bonne pour que tous les cœurs s'ouvrissent.* Dans les liens du monde, elle ne voit qu'*un échange continuel de reconnaissance et d'affection.* Accoutumée dès l'enfance à ne rencontrer que *les hommages des hommes et la bienveillance des femmes*, elle n'a jamais eu l'idée qu'il pût exister

Eric Magnus Staël von Holstein devant le tombeau de son enfant, miniature de Nicolas Lafrensen dit Lavreince, 1792.

entre les autres et elle d'autres rapports que *ceux des services qu'elle pourrait leur rendre ou de l'affection qu'elle saurait leur inspirer*. La chute devait être rude. Elle fut longue aussi: M. Necker et sa fortune faisaient encore écran entre l'ambassadrice et la société où elle distinguerait un jour *comme une sorte de pouvoir hostile*.

Il se pourrait que le monde — qui répondait mal à de si généreuses et assez tapageuses avances — ait pris très tôt le visage d'Eric Magnus de Staël. Germaine se faisait une très haute idée du mariage; l'ambassadeur tomba, à ce qu'il semble, amoureux de sa femme. Les choses pourtant se gâtèrent vite. *Qu'est-ce que l'amour sans enthousiasme?* demandera Delphine. Sur le chapitre de l'enthousiasme, M. de Staël était face à sa femme très insuffisant. Il parlait bon sens, se montrait jaloux. Il fut rapidement réduit au rôle d'utilité.

« Mme la baronne de Staël en 1789 »,
portrait au physionotrace par Quénedey.

Une fille qui leur était née en 1787 mourut avant deux ans. Germaine ne trouva plus guère dans la présence à ses côtés de son mari qu'un aliment aux déclarations qu'elle devait prodiguer, avec une sincérité qui ne souffre aucun doute, sur le malheur des mauvais mariages.

Le sort d'une femme est fini quand elle n'a pas épousé celui qu'elle aime. Cela, Germaine a pu l'écrire, mais elle ne l'a jamais admis. Elle reprend le salon de sa mère, le peuplant, à défaut de philosophes, en voie de disparition, d'amateurs de politique portant la même étiquette: il deviendra, à mi-chemin entre la scène et le boudoir, le rendez-vous de l'aristocratie libérale.

En 1787, Necker, toujours écarté du ministère, frappe pour y revenir un grand coup: il publie une fois encore sa justification. Le coup lui tombe sur le nez. C'est l'exil, en province, où Germaine le suit: il valait bien la peine d'épouser Staël pour avoir à quitter Paris! Une année plus tard, Necker était rappelé aux Finances, mais avec le pouvoir d'un premier ministre. L'allégresse publique monta presque au degré de celle de Germaine. Vint l'ouverture des Etats Généraux. Dès le premier jour le financier échoue à s'imposer aux députés; la situation lui a tout à fait échappé lorsque les Etats s'érigent en Assemblée nationale. Méprisé par le Tiers et vomi par la cour, le « traître d'étranger » fut maintenu en place par les deux partis, mais pour couvrir leur lutte, les préparatifs d'un règlement où il ne compterait pour rien. Pour l'enthousiaste Germaine, ce n'en furent pas moins de *beaux temps de jeunesse et d'espérance*.

Elle aura désormais aussi contre elle les ennemis de Necker, comme Constant demain ceux de la liberté. Mais il s'agit bien de Constant! Germaine avait conquis l'amitié d'un grand et beau seigneur, le comte de Narbonne-Lara. D'un caractère plus que médiocre, mais d'une incontestable intelligence, il bénéficiait du prestige dû à une naissance royalement mystérieuse, à des dissipations princières, et à quelque intérêt pour la bonne cause, celle de la liberté, des lumières et du bonheur. Elle réussit à l'y attacher assez sincèrement. Elle s'attacha à lui plus étroitement encore. On a, dès ce temps-là, prêté beaucoup d'amants à l'ambassadrice. Narbonne fut le premier en titre. Chez elle, les frontières entre l'amitié et l'amour sont toujours confuses, tant à l'une et à l'autre elle met d'exaltation. Mais Narbonne est le premier homme dont elle se soit littéralement emparée.

Necker, toujours ardemment soutenu par sa fille, poursuivait sa carrière inefficace et bien intentionnée. Renvoyé le 11 juillet 1789, il partit une fois de plus pour l'exil. Germaine le suivit. Sur quoi, pour venger le ministre, semblait-il, le peuple prit la Bastille, et le roi rappela Necker. *Quel moment de bonheur que cette route de Bâle à Paris*, note sa fille. On s'agenouillait sur leur passage. A l'arrivée à Paris, l'ambassadrice, comblée, s'évanouit. Qui s'étonnerait qu'elle ait, ensuite, cherché constamment à rejoindre ce bonheur inouï?

Le château de Coppet, vu du parc.

On s'accorde généralement à voir dans les ambitions politiques de Mme de Staël un des nombreux traits masculins de son caractère. Si cette façon de goûter la popularité et le pouvoir par personne, ou plutôt par homme interposé n'est pas éminemment féminine, la fille de Necker a trouvé en tout cas de nombreuses imitatrices. Pour elle, sa plus constante vocation est celle d'Egérie.

Necker ne sut pas mieux, à ce dernier rappel, s'imposer aux événements. Au début de septembre 1790, le grand homme démissionnait dans l'inattention générale et partait pour Coppet. Germaine cette fois ne l'accompagnait pas.

Court répit, dû à une circonstance remarquable: un fils venait de lui naître, de Narbonne, admet-on. Elle le laissa à Paris, pour gagner à contre-cœur la Suisse et venir au château distraire son père: *Tu n'as pas idée du mouvement que je me donne pour être à moi seule une Assemblée nationale entière.* C'est à Coppet son premier séjour de femme. Les vendanges à La Côte ont pris fin, les arbres du parc virent au roux. Necker et sa fille ne sont sensibles qu'à l'air plus acide, malgré le lac qui le réchauffe, cet air qui, disent-ils gravement, leur donne des rages de dent! Heureusement, des visiteurs s'annoncent, parfois illustres comme Gibbon, et Genève s'avère toute proche, où l'on est reçu.

Bien? *Le caractère des Genevois n'est point aimable.* L'ambassadrice ne croit pas réussir trop mal parmi eux, mais pourquoi faut-il précisément *qu'ils mettent leur amour-propre à ne pas prononcer une seule fois ce nom d'ambassadrice?* Et que dans de Staël *ils mangent presque le de?* Au surplus, à défaut de se plaire à Genève, *il faut y plaire pendant qu'on y est.* En décembre, on s'y installe pour de bon, mais il éclate aux yeux que Mme de Staël, auteur pourtant fêté naguère de *Lettres* sur Rousseau, n'éprouve aucun plaisir particulier à se trouver au pays de Jean-Jacques.

Avec ses portes, fermées chaque soir, la ville qui de sa colline surveille la rade et le Rhône paraît à la jeune femme « un grand château ». Que Mirabeau y passe, elle se croit sous le même toit que lui! (Mirabeau, ennemi de Necker, avait des amis et des conseillers genevois.) Même toit, ou même scène: le trio Necker occupe Genève *comme l'Assemblée*

« Vue de la ville de Genève du côté du septentrion », par R. Gardelle.

nationale Paris. Fait surprenant, Germaine en souffre: *les petites villes ne conviennent pas à des personnes un peu hors de la ligne ordinaire; chaque mot qu'elles disent est l'événement de toutes les sociétés. Cela m'est insupportable: le bruit sans la gloire n'est qu'importun.* Admirable formule, et belle lucidité.

L'année 1791, qui sera celle de la fuite du roi, Mme de Staël la commence à Lausanne, chez les d'Arlens déjà. Puis elle part pour Paris. Mai la retrouve à Genève, où, nullement réconciliée, elle juge son temps *platement perdu: une campagne est solitaire quand elle n'est pas peuplée, mais une ville est déserte, et cette différence est celle de la mélancolie à la tristesse.* Regagnant Coppet en juin, l'ambassadrice passe-t-elle de la tristesse à une plus douce mélancolie?

Elle a impatiemment attendu ce départ. C'est celui des vacances, de grandes vacances entre le lac qui rit et le parc où passent les faucheurs. Mais que peut l'odeur si douce des foins coupés, ou le murmure des vagues, quand de Paris l'on apprend l'affaire de Varennes, la fuite manquée? La jeune femme passe pourtant sur l'autre rive du lac, à Cologny, chez son oncle Necker de Germagny, qu'un scandale, l'éclat d'un mari jaloux, a naguère très heureusement chassé de l'Académie de Genève pour l'aiguiller vers la banque; elle fait même à Chamonix une « partie de glacier » et en revient ravie.

Elle l'est moins des habitants de Coppet, qui ont fêté le 14 juillet avec trop d'enthousiasme: ces Suisses sont très revolutionnaires, en des jours où Germaine « se passionne de colère contre la secte républicaine ». Se ferait-elle à son sort? *On est en pleine stupidité dans*

Mme de Staël
en 1797,
sépia, par Isabey.

mon honorable patrie! (Il faut noter ce mot. Elle dit d'ordinaire : la patrie de mes parents.) Ce ne sont pas du reste les révolutionnaires qui l'indignent ainsi, mais Leurs Excellences de Berne. Elle leur doit d'avoir à lire les gazettes de France pour connaître les affaires de Suisse... Aussi lui arrive-t-il assez souvent d'aller « lestement dîner » à Lausanne. C'est là qu'elle apprend les nouvelles. Lausanne, aux dires d'un émigré, est alors « le Palais-Royal de la Suisse ». (On y joue aussi, avec passion.) L'un de ces séjours nous vaut un plaisant portrait de la châtelaine de Coppet. *C'est une femme bien étonnante. Le sentiment qu'elle fait naître est absolument différent de celui que toute autre femme peut inspirer. Ces mots : douceur, grâce, modestie, envie de plaire, maintien, usage du monde, ne peuvent être employés en parlant d'elle, mais on est entraîné, subjugué par la force de son génie. C'est un feu qui nous éclaire, qui nous éblouit quelquefois, mais qui ne peut nous laisser froid et tranquille.*

Le portrait est signé Constant. Non pas de Benjamin, nous sommes encore en 1791, mais de Rosalie, sa cousine. De ces mots, Benjamin lui-même n'aurait d'ailleurs rien retranché : *on est étonné de trouver chez cette femme singulière une sorte de bonhomie et d'enfance qui lui ôte toute apparence de pédanterie.*

Commence alors le chassé-croisé. Que Germaine et Benjamin ne se fussent pas rencontrés à Paris, avant la révolution, ce ne pouvait être que volonté délibérée de l'inconnu face à la célèbre femme du monde. Qu'ils se manquent sur le tout petit théâtre du Pays de Vaud — ainsi le jugent-ils tous deux — passe l'entendement. Il faut vraiment que le destin s'amuse.

1791. Germaine quitte Coppet, à la mi-août ; Benjamin arrive à Lausanne en septembre, pour affaires... A Paris, Mᵐᵉ de Staël en mène de plus grandes. Elle intrigue, pour Narbonne. *Tour de génie de ma façon*, dira-t-elle joliment d'une de ses manœuvres. Elle triomphe : grâce à elle, Narbonne est, en décembre, ministre de la Guerre. Même, il se prépare précisément à faire la guerre. Mᵐᵉ de Staël, semble-t-il, voyait dans cette extrémité le plus sûr moyen de tenir tête aux extrémistes, d'arrêter le cours de la révolution à ce stade, qui leur convenait fort, à elle et à ses amis, de la monarchie constitutionnelle.

Ils cherchent un général en chef. A qui songent-ils? Au duc de Brunswick, le maître du conseiller de légation Benjamin Constant... Puis, sur une fausse manœuvre de son amie, Narbonne, lui, est renvoyé. Mme de Staël, pour se venger, fit renverser le ministère, arrêter un ministre. Elle avait perdu le pouvoir. Il lui faudra cinq ans pour s'en rapprocher — avec un autre cavalier.

La marche à l'abîme s'accélérait. Journées de juin, journées d'août. Germaine s'initia à ce qui allait devenir une de ses principales activités: le sauvetage des victimes de la passion politique. Elle fournit un refuge à des officiers suisses échappés au massacre du 10 août, elle proposa de faire évader la famille royale; ses amis constitutionnels étant toujours plus menacés, elle cacha Narbonne et le fit passer en Angleterre, elle fit élargir d'autres de ses amis: ce n'étaient que les débuts du « bureau d'émigration » qu'elle allait monter en Suisse. Elle ne songea à quitter Paris que le jour où commencèrent les massacres de septembre. Elle y réussit, non sans avoir risqué sa vie, sans perdre un instant son sang-froid. L'exil commençait pour elle.

Le premier qui lui fût échu personnellement.

A Brunswick, Benjamin vivait un autre naufrage. Rentrant de voyage, à l'été 1792, il découvre *mille choses cruelles dans sa situation domestique. Cécile* est plus explicite: sa femme s'est prise de passion pour un jeune prince russe; Constant est si las qu'il s'en offusque à peine, il serait bien plutôt entraîné à *porter envie à ces deux cœurs ivres d'amour,* jusqu'au jour où, ouvrant son piano, il découvre dans une lettre oubliée la preuve de la trahison de Minna. (Elle la niera toujours.) La rupture n'interviendra qu'au printemps de 1793. Etrangement passif, Constant ne demanda pas sur-le-champ le divorce. Les lenteurs de la procédure bernoise firent le reste. Constant ne devait se retrouver libre, légalement, qu'à la fin de 1795.

Quand Mme de Staël, échappée aux massacres, était arrivée à Coppet à l'automne 92, elle s'y vit traitée en suspecte. Le Conseil secret de Berne avait prié les Necker d'engager leur fille *à ne pas séjourner trop avant dans l'intérieur du pays.*

S'ils déguerpirent avec elle, c'est que les Français marchaient sur Genève. Pour un ancien ministre inscrit — même à tort! — sur la liste des émigrés, Coppet en était trop proche. *Un peu saisis de frayeur*, ils s'en furent donc chercher refuge plus avant, mais pas trop! dans le Pays de Vaud, à Rolle. Et, grâce à Gibbon, décidément plus fidèle en amitié qu'en amour (il avait, on s'en souvient, abandonné Mlle Curchod; il n'abandonnait pas Mme Necker-Curchod), on trouva un logis, à la Grand-Rue, chez Mme de Sévery. Née de Chandieu. La propre tante de Benjamin Constant. Le destin s'amusait encore.

Rolle, même aujourd'hui, n'est guère plus qu'une rue, mais plaisante entre toutes. Cent cinquante maisons, aux façades également basses, se serrent le long de la route qui va de Lausanne à Genève, d'Italie en France. Sur cette rive, il n'y avait eu d'abord qu'un château des Savoie, dans le creux du golfe doucement tracé au pied de collines qui, à

La grand-rue de Rolle.

La maison d'Allinges, ou de Chandieu, vue du jardin.

l'arrière-plan, jouent ici aux montagnes. Pour le grand déplaisir des seigneurs de Mont, établis plus haut dans les vignes, les Savoie décidèrent de bâtir une ville au bord de l'eau, à l'abri du château. Elle eut son port, ses moulins, ses fours, ses caves surtout. (Elle a maintenant son île, artificielle et charmante.) Vigneronne plutôt que guerrière, elle n'a guère marqué dans l'histoire.

Les Necker arrivèrent à la saison des vendanges. C'est peut-être la plus belle à La Côte, et le temps était superbe. Les gentilhommières des environs rassemblaient une excellente société, à commencer par Necker aîné, dont le Germagny domine le bourg. De Lausanne, de Genève, de Berne même, les propriétaires venaient surveiller leur vin rouge. (La Côte, aujourd'hui, produit de préférence un blanc sec, plein de fruit, d'esprit et d'accent.) Il aurait fallu beaucoup plus que le siège de Genève pour troubler les rites de la vendange, et sa gaîté. C'était encore le temps où, au témoignage de Rousseau, une chanson lancée à un bout du vignoble était reprise de vigne en vigne, de commune en commune, jusqu'à l'autre bout. Seul le mauvais temps peut gâter une telle fête. Ni les Necker, ni l'ambassadrice n'étaient pourtant d'humeur à la goûter.

L'année précédente déjà l'ancien ministre était apparu aux nobles vendangeurs de Rolle comme la statue du souci. *M. Necker a passé hier ici entre onze heures et midi. Il est allé à pied d'un bout de la rue à l'autre, avec un chapeau rabattu, et plus abattu que son chapeau à ce qu'on dit...* Cet automne-ci, tout allait plus mal encore: la République proclamée, les armées républicaines marchant sur Genève, menaçant la vieille Confédération elle-même peut-être: *la Suisse entière est en armes* et, de sa fenêtre, Germaine voit *passer chaque jour la milice et l'artillerie des XIII Cantons* — Mme de Staël, enfin... Car l'ambassadrice aussi est en guerre ouverte non plus seulement avec sa mère, mais avec Necker, le bien-aimé. La raison en est qu'elle attend un enfant, dont même les Rollois ont pu calculer qu'il ne devait pas avoir l'ambassadeur de Suède pour père. Qu'elle veut divorcer, rêve de partir pour Rome ou l'Amérique avec Narbonne, parle d'aller le rejoindre en Angleterre — ou bien alors d'entreprendre un autre voyage, celui « du fond du lac ».

Ils ont tellement monopolisé l'amphigouri dans cette famille, soutenait Mme de Charrière, *que je suis surprise qu'on en trouve encore chez d'autres. Mais ces autres ne sont que de petits marchands détaillants: ils ont, eux, les fabriques et les magasins...* Germaine écrivit très probablement à Rolle son apologie du suicide, qui devait prendre place dans *l'Influence des Passions* et ne dément pas tout à fait cette opinion.

Le Léman, à ce qu'il semble, ne représente alors pour Mme de Staël que cette issue désespérée, toute proche. Elle peut l'apercevoir de la fenêtre où elle passe parfois « la nuit entière » à attendre le messager qui devrait lui apporter des lettres d'Angleterre. La maison des Chandieu est bien séparée du rivage par la rue, un vrai mur de bâtisses qui la borde au midi comme au nord, par de longs jardins enfin. Mais une étroite brèche s'ouvre juste en face de la fenêtre qui dut être celle de Germaine. Une ruelle court droit à l'eau, à deux cents pas à peine. Ce n'est point pour l'ambassadrice recluse ce qu'on nomme une échappée. Gris et grondant des premières bourrasques de l'hiver, le lac s'étale comme un fossé d'où surgissent les montagnes de Savoie, qui font une muraille aussi régulière que les façades de la Grand-Rue. Germaine ne contemple qu'une double prison.

Mais vienne un rayon de soleil, on voit que les montagnes sont bleues, ou bien blanches déjà. Le lac apparaît d'étain, d'argent même, presque insoutenable au regard. A l'occident, vers Genève, après une dernière pyramide, la ligne des sommets s'abaisse. La côte vaudoise se creuse, comme pour la rejoindre. Le lac s'étrécit, paraît fuir comme un fleuve dont le Salève, énorme, incongrue baleine bleue échouée entre eau et ciel, tenterait d'arrêter la course... En vain! Le fleuve qui court sous les eaux du lac a ouvert là une porte. Celle de la France. Donc, pour Germaine, celle de ses vœux, de l'Angleterre où sont ses amis.

Celle qu'elle prendra pour quitter ce *trou de Rolle*, et la maison de la Grand-Rue *. Une tourelle domine la porte cochère, où s'ouvre une fenêtre à meneau. La maison qui s'y colle à main droite a moins d'allure, mais non de pittoresque, car elle s'appuie sur l'un de ces passages voûtés qui servent, perpendiculairement à la Grand-Rue, de ruelles. Au-dessus du passage, une pièce très petite, couverte en berceau, sans feu, percée d'un seul jour. La tradition en fait la chambre de Gibbon et, comme Mme de Staël se vit attribuer la chambre de l'historien, rien n'interdit de croire que ce fut la sienne aussi. Peu exigeante pourtant sur ce point — elle ignore magnifiquement ces contingences — elle la juge peu confortable, en veut à sa mère de ne s'être *jamais dérangée* et de la laisser accoucher, le mot situe exactement les lieux, *sur la rue.*

A l'opposé, derrière la maison, se cache un immense jardin, clos, secret, insoupçonné et, pour cette raison peut-être, demeuré intact aujourd'hui, avec une pièce et un jet d'eau, des bosquets, une fontaine sous le lierre. Germaine n'en dit pas un mot...

L'enfant tardait. Comme, à la mi-novembre, le trio Necker s'entretenait des « interminables affaires» de Genève, toujours investie, les domestiques ouvrent à grand bruit la porte. Un homme paraît, le visage altéré, « déguisé à ne pas le reconnaître», qui demande asile et conseil: le général Montesquiou, commandant de l'armée républicaine qui a conquis la Savoie et encerclé Genève, n'est plus qu'un fugitif. Un avis secret l'a engagé à disparaître, au moment où la Convention allait le faire arrêter. Par le lac, il s'est précipité à Rolle, chez ses amis Necker, ses amis du temps où il était le marquis Anne-Pierre de Montesquiou-Fezensac, de l'Académie française... Le répit sera bref. Moins d'un quart d'heure plus tard, chez les Necker, un émissaire des autorités bernoises enjoignit au ci-devant général de poursuivre sa route « plus avant »!

Une semaine après ce coup de théâtre, Mme de Staël donnait le jour à un garçon, son second fils. Désormais « Mère des Gracques », comme elle aime à dire, elle n'a guère qu'une pensée: la voilà libre de partir. Encore lui faut-il se relever: *je renverse en ce genre toutes les étiquettes et nos bons Suisses ne me conçoivent pas... — C'est une drôle de petite femme*, note alors le presque Suisse Gibbon, qui reste assurément en dessous de la vérité. A peine un mois après sa délivrance, au lendemain de Noël, elle part pour Genève. Moment mal choisi: la révolution y a éclaté, *les Egaliseurs se sont emparés des postes et il y a une Convention*

Le comte Louis de Narbonne, sous l'Empire.

nationale établie au Temple Neuf. Mais Genève n'est qu'un prétexte. Germaine passe enfin la porte. Elle prend la route de Paris, où l'on vote la mort du roi, la route de Londres, où elle dut arriver pour apprendre l'exécution de Louis XVI. *Attendez-moi à Juniper Hall, où toute mon âme est déjà*, écrivait-elle de Rolle. Quand le corps suivit, cela fit quelque bruit. Germaine n'avait en somme quitté les Calvinistes que pour tomber chez les Puritains : elle offrait avec Narbonne une prise admirable à la calomnie. Sa générosité — elle payait le loyer de Juniper, belle maison du XVIIIᵉ, et poursuivait activement ses œuvres de dame de charité pour vaincus de la politique — et ses talents faisaient oublier un peu cette odeur de soufre qu'elle traînait avec elle.

Et Narbonne ? *Ils s'aiment tous* — tous, c'est en particulier Talleyrand, qui venait de Londres en visite — *comme des frères*, affirmait une Anglaise. *Cette liaison n'est que l'amitié la plus respectable*, assurait un Français, protégé de Germaine. Faut-il le croire ?

Il semble bien, en tout cas, que les temps de la passion fussent révolus, pour lui depuis longtemps, pour elle depuis son arrivée (ce qu'elle n'aurait au surplus, pour rien au monde, avoué à quiconque.) Elle avait en revanche rétabli pleinement son emprise, elle était entourée d'amis, elle préparait, comme elle l'avait fait à Rolle, l'installation de toute la colonie en Suisse, elle écrivait, comme à Rolle toujours, l'*Influence des Passions*, elle régnait sur « la communauté », elle trouvait à qui parler, elle se disputait, s'inquiétait pour son père, se rongeait. Elle vivait pleinement. Elle était heureuse.

Sur quoi, M. de Staël signala son existence. Rappelé en Suède, il avait obtenu une nouvelle mission à Paris, l'avait menée à bien. Il allait prendre le chemin de la Suisse, toujours en mission, et engageait sa femme à l'y rejoindre. Elle s'y résigna, à la fin de mai. Passant à travers les frontières, les armées et les factions, par la vallée du Rhin, elle rejoignit l'ambassadeur.

Les Necker avaient quitté Rolle — où l'on répète, aujourd'hui encore, qu'à la nouvelle de la mort du roi, Mᵐᵉ Necker, que sa fille avait si ouvertement bravée en partant subrepticement pour Londres et qui ne le lui pardonna jamais, poussa des cris si lamentables qu'on les entendit de la rue... Le 19 juin 1793 — l'année terrible — Germaine datait de Coppet sa première lettre. A Narbonne, qui n'écrivait plus.

VI

NYON — HIVER 1793-1794

Et reprend le chassé-croisé! Dès le printemps de 1793, Benjamin Constant et Mme de Staël sont plus près que jamais de se rencontrer. D'abord, ils traversent tous deux l'Allemagne pour gagner la Suisse. Il n'a sur elle que quelques jours d'avance. Quand elle quitte Cologne, le dernier jour de mai, il arrive à Lausanne. Constant restera en Suisse, faisant la navette entre sa ville natale — qu'il est alors près d'abhorrer! — et Colombier, jusqu'au printemps suivant. Mme de Staël, elle, ne quittera guère les bords du Léman...

Pour l'heure, et pour la première fois depuis plus d'un an, elle retombe en puissance de mari. Eric se montre d'ailleurs envers sa femme, prise de fièvre, *sublime par ses mille et un soins*, mais il ne comprend pas *comment tant de limonade versée* ne le met pas dans le cœur de Germaine au niveau de Narbonne. Il se résigne même à voir arriver en Suisse le beau vicomte, son trop heureux rival. Aussi Mme de Staël aime-t-elle alors son mari *de toute la puissance de sa raison*, ce qui ne l'engage guère. Elle songe surtout à établir ses amis, ses « frères » en Suisse. Elle explore le pays. Elle ira même à Colombier, comme Benjamin, faire visite à Mme de Charrière. Là encore ils se manqueront.

Hasard? Constatons qu'en fait Constant l'inconstant, s'il n'a pas sacrifié son indépendance recouvrée, s'est chargé d'un nouveau lien. Vers le temps que Germaine partait pour Juniper Hall, il a rencontré à Brunswick Charlotte, la *Cécile* du récit autobiographique. Dans le désarroi de sa rupture avec sa femme, il avait recherché cette jeune dame allemande, réputée un peu bizarre. Des obstacles l'avaient enflammé, l'idée même d'un nouveau mariage n'avait pu le faire fuir, du moins pas tout de suite. Mme de Charrière,

Eric Magnus de Staël,
ambassadeur de Suède,
chambellan de S.M. la Reine
de Suède, par Wertmuller.

à son retour en Suisse, acheva de brûler lentement, aux acides, ce qu'il pouvait garder de goût pour ce projet matrimonial: il ne lui resta de Charlotte qu'*un souvenir vague quoique assez doux*. Ce qui ne signifie pas pour autant qu'elle disparaisse à jamais de cette histoire.

Pendant que Mme de Staël se résignait à quitter l'Angleterre, que Benjamin envisageait de fuir Brunswick, un personnage très mystérieux avait, en mars — et sur le conseil, semble-t-il, de M. de Staël en personne — abandonné pour Genève un Paris qui, pourtant, lui faisait fête. Germaine aura bientôt percé le secret de ses pseudonymes: *Il y a ici sous un nom supposé*, écrit-elle de Coppet, *un comte Ribbing, fameux complice d'Anckarström* — soit l'un des conjurés qui avaient en 1792 assassiné par idéalisme le roi Gustave III de Suède, le maître de M. de Staël. Un régicide? Non point, un héros de la liberté! Il y avait de quoi intéresser Germaine. *Nous ne le voyons pas*, ajoutait-elle. On devine que cela ne dura guère.

La France cependant vit l'année terrible, connaît la guerre civile et la guerre étrangère. Les hommes qui mènent ce pays, le mot est précisément de Ribbing, régicide auquel les Jacobins répugnent, *sont parvenus à rendre odieuse l'une des plus belles vertus de l'homme, la modération*. Germaine elle, résumera en juillet la situation avec plus d'énergie: la Montagne triomphe; désormais *la mort est le seul gouvernement de France*. Le 5 septembre, un conventionnel baptisera l'époque: «Citoyens, plaçons la terreur à l'ordre du jour». Germaine en passera les premiers mois à Nyon.

A Nyon, entre Rolle et Coppet, Voltaire avait rêvé de s'installer, séduit par l'un des paysages les plus vastes du Léman: le lac dans toute son étendue; en face, les Alpes de Savoie avec le mont Blanc; à main droite, cette fois tout proche, le mur moutonnant du Jura. La vigne cède la place aux vergers, aux blés, aux bois. La ville se souvient d'avoir été romaine. Sur la colline, où demeure la cité, on ne peut guère gratter le sol sans amener au jour quelque fragment d'antique. Les Savoie, ravis peut-être d'y trouver de si bon matériau, élevèrent la bourgade au nombre des quatre « bonnes villes » du Pays de Vaud.

Aux Bernois, elle ne devait guère que le plus plaisant détail de sa silhouette: le château, avec ses minces tours aux toits pointus, romantique bien avant la lettre. Au château résidait le bailli. Et le bailli de Nyon, en 1793, était Charles-Victor de Bonstetten, ami des Necker, de Germaine aussi, et qui sera un jour l'un des bons esprits du groupe cosmopolite de Coppet. Pour le cœur, un trait suffit à le définir. Les Necker, l'automne précédent, désespérant de retenir Germaine, résolue à rejoindre Narbonne, lui avaient dépêché le bailli pour la ramener à ses devoirs. Il eut le tort de se laisser interrompre... Germaine plaida. Bonstetten oublia sa mission. — *Elle était si malheureuse*, avoua-t-il à Necker. *Je lui ai prêté trois cents louis pour faire le voyage!*

Berne avait autorisé M. de Staël à s'installer à Nyon. Le plan, comme bien on pense, n'était pas de lui, mais de l'ambassadrice. C'était moins de Genève qu'elle souhaitait s'éloigner, que de sa mère. Car, possessive, sinon passionnée encore, elle entendait toujours faire venir Narbonne en Suisse, elle le suppliait de la rejoindre dans des lettres haletantes, et Mme Necker, l'encre à peine sèche de ses *Réflexions sur le divorce* qu'elle aurait aussi bien pu intituler: *Contre Germaine*, n'aurait point toléré une telle présence sous son toit.

A Narbonne *, Mme de Staël écrivait donc: « notre » maison. Elle se trouve à quatre lieues de Genève, à une et demie de Coppet, près de Nyon, *sur le bord du lac, dans un séjour paisible*. Elle est isolée, à un quart de lieue du bourg; on peut pourtant l'apercevoir de la grand-route, car Germaine courant un jour la poste sentira *un froid mortel lui passer dans les veines* à son seul aspect; elle a *trois appartements à donner, vous logé*, ce qui ferait au départ de l'ambassadeur, escompté depuis le début de l'été, mais qui tarde, *un logement de femme et d'homme de plus*. Mme de Staël n'a pas lésiné; le logis lui a coûté mille écus à établir. Ces détails importent: ils prouvent qu'à Nyon Germaine attend l'ancien ministre de la Guerre, mais qu'elle compte bien aussi y loger toute la colonie. Autant que de son ami, c'est de la « communauté », de ses douces « lois » qu'elle se languit. Elle n'aura de cesse que se trouve, les terroristes de Paris aidant, reconstitué l'errant phalanstère.

Charlemont, près Nyon,
le « Traxel House » de Mme de Staël
(photo ancienne).

Nous connaissons le nom de la maison, surprenant du reste: Troxen House, Traxen House, Traxel House. Ce nom anglais ne peut être qu'une invention de Germaine, rêvant encore de sa retraite du Surrey, si agitée lorsqu'il fallait y vivre, si douce à évoquer. Il s'agissait, tout bonnement, de la maison d'un M. Trachsel. Nous connaissons même la profession du personnage: il était aubergiste à Nyon, l'hôte de la renommée Croix-Blanche. Et nous avons retrouvé la maison, sa maison des champs, toute proche pourtant de la petite ville *. Elle domine toujours la route de Genève; la rive, elle, se dissimule derrière un rideau d'arbres d'où surgissent les montagnes de Savoie et le mont Blanc. De gros bâtiments agricoles, un toit neuf qui l'écrase un peu, un crépi trop uniforme soustraient à l'attention cette vieille demeure. Il faut s'approcher pour découvrir, élégants, un perron, de hautes baies, des oeils-de-bœuf, une maison de maîtres, construite pour des voyageurs de marque. Redevenue paysanne, elle a oublié de longue date l'ambassadeur, l'ambassadrice et leurs amis...

Les Staël s'y installèrent peu après la mi-septembre, Germaine le désespoir dans l'âme: *il n'est plus question de vivre; je suis folle.* Et pourtant, écrit-elle aussi à l'ami lointain, *le ciel s'ouvrirait sur ma tête, si vous habitiez cette chambre où tous les jours je vais pleurer l'espoir qui me fit trouver tant de charmes à la choisir, à l'arranger.* Mais non, Narbonne ne songe pas à bouger, et les jours de son amie sont *d'affreux supplices.*

Charlemont aujourd'hui.

Bien remplis, au surplus, comme toujours. Elle écrit. (*Zulma*, une nouvelle, histoire d'une passion amoureuse qui se termine par le meurtre de l'amant traître, verra son avant-propos daté de Nyon, en Suisse, et sera publiée à Lausanne.) Elle n'oublie pas ses amis. En faveur de ceux qui, demeurés ou rentrés en France, s'y trouvent plus que jamais menacés, elle va dépenser une prodigieuse énergie.

Nyon, si paisible d'apparence, devient une base d'action clandestine. Mme de Staël entretient de secrètes correspondances, recrute des passeurs, envoie des émissaires, de véritables agents : *ma société habituelle, ce sont des hommes qui font le commerce de la vie*. Elle a dans ce domaine une expérience certaine, des moyens étendus. Elle sait entretenir le zèle de ses brigades, qui ne comptent pas que des hommes aux gages, il s'y trouve des femmes aussi, et un idéaliste au moins. Elle excelle à machiner. Elle crée véritablement une centrale d'évasion. Et, comme elle dispose avec une grandiose générosité de l'or, éternel aliment de toute guerre dans l'ombre, l'agence fonctionne avec succès.

Cette femme, infatigablement, contrecarre les œuvres de la Terreur. Elle, qu'on a dite poltronne, rien ne l'arrête. S'il le faut, elle intervient elle-même, arrachant à un probe magistrat vaudois quelque fraude pieuse. Ses amis, leurs amis, leurs amies, leurs parents, leurs enfants, elle va de la sorte par personnes interposées *les pêcher dans cet abîme d'horreur.*

Adolphe Ribbing.

74

Quelles clameurs de joie lorsqu'un sauvetage a réussi! *Tréboux* — c'est un natif des hauts de Nyon, de Saint-Cergue, porte jurassienne de la France — *le sublime Tréboux me les a apportés ici à travers les montagnes!* Arrivent de la sorte le vicomte Mathieu de Montmorency et le comte François de Jaucourt, dans les premiers jours d'octobre, à la veille de l'exécution de la reine. Mais les constitutionnels ne sont pas mieux vus en Suisse qu'ailleurs. L'ambassadrice les baptise donc de noms bien étrangers, qui sauvent les apparences. *Elle s'entoure de Français ex-constituants*, écrit l'agent secret qui, à son tour, la surveille, *qu'elle présente comme des négociants suédois.*

Dans cette société, Eric n'est pourtant plus le seul Suédois authentique. Il y a Monsieur Bing. Il habite tantôt Sécheron, aux portes de Genève, tantôt Genève même, et Rolle plus souvent encore. Il a 29 ans. *Il est superbe de figure, pour les femmes qui aiment ce qu'on appelle la beauté*, mais un peu trop gros, un peu trop fat, pour un conjuré! M. Bing n'est autre en effet que le comte Ribbing, le régicide, héros un peu désenchanté de la liberté! Pour le reste — et l'on admirera que le portrait d'un homme qu'on ne voit pas puisse être si poussé — *un grand penchant à devenir amoureux de moi...*

En fait, c'est à M. de Staël que sa charge interdit de voir le proscrit. Germaine ne s'est jamais beaucoup embarrassée de ces obstacles-là. Elle rencontrera Ribbing dans des salons amis, le recevra peut-être en l'absence de l'ambassadeur: *tout le jour était une suite de plaisirs quand je vous tenais dans notre prison.* Traxenhouse est donc une prison...

Avec Montmorency et Jaucourt, la « communauté » s'y est enfin reconstituée. A cette « douce réunion », il manque toujours son centre, l'homme aimé. A peine, vers la mi-décembre, M. de Staël a-t-il pris la route du Nord, partant pour Stockholm, que Ribbing, selon un arrangement qui semble dater déjà de quelque temps, vient s'installer dans la maison de Trachsel. Sera-t-il le « centre »? Il s'en faut de beaucoup. Germaine s'attache à lui, et ne le nie pas. Mais il suffit qu'elle le mette en balance avec Narbonne pour que le cœur lui manque. Ses lettres la montrent déchirée. Ou plutôt passant et repassant d'un camp à l'autre, avec violence ou bien avec douceur: elle se donne à la passion qui meurt pour l'éternel absent, elle cède au sentiment qui naît pour le commensal désabusé, ce héros si doux, si mélancolique. Elle varie, de jour en jour, peut-être d'heure en heure. Le terrain que perd le Français, le Suédois le gagne.

Ce débat ne réduit nullement l'activité de Mme de Staël. Rien ne peut la réduire. Le bureau de sauvetage et de placement travaille efficacement. Des courses à Lausanne, où la maison de Montchoisi est toujours accueillante, s'imposent: les Necker sont dans cette ville depuis l'automne, Suzanne va mal, de plus en plus. Les mauvaises nouvelles s'accumulent. Gibbon est mort. Talleyrand doit gagner non la Suisse, mais l'Amérique. Genève s'agite et c'est encore une menace. Le bail de « Traxelhouse » va s'achever au premier printemps. Montmorency et Ribbing sont contraints de partir pour Zurich. La menace de ce départ, les peines accumulées servent la cause du Suédois. Germaine maintenant lui témoigne son attachement. Son cœur tressaille de bonheur. *My dear Adolphe*, écrit-elle. Un nouveau règne s'annonce.

A la mi-mars 1794, l'espion attaché à ses pas note dans son rapport: *Mme de Staël vit toujours de façon originale dans les environs de Nyon.* C'est faux, naturellement. La communauté s'est dispersée, Germaine a gagné Lausanne. Quel souvenir emporte-t-elle de Nyon? Douloureux, sans nul doute. Abominable même. C'est de Nyon qu'elle écrivit la fameuse apostrophe: *J'ai toute la Suisse dans une magnifique horreur. Ces hautes montagnes me font l'effet des grilles d'un couvent qui nous sépareraient du reste du monde. On vit ici dans une paix infernale. On se meurt dans ce néant.* Ceci est pour M. de Staël, en Suède. Pour Narbonne, à Londres, elle écrit: *Puis-je oublier une année de douleur?* A Ribbing elle écrira bientôt: *cette unique année de ma vie... Si je meurs après, ce ne sera pas sans avoir connu tout l'éclat du bonheur possible.*

Sur plus de six mois, les deux années, celle de douleur, celle de bonheur, se recouvrent dans ce singulier comput du cœur, dont seule la sincérité apparaît assurée. Et ces six mois correspondent au séjour de Nyon.

La plus durable vérité tient peut-être dans une autre phrase encore: *Mon Adolphe, mon cher Adolphe, quand retrouverons-nous ce Traxen House où nous étions si paisiblement tourmentés?*

VII

MÉZERY — 1794-1795

Le pays est superbe, les gazettes sans nombre et la société tolérable. Voici Lausanne, au printemps de 1794, vu par Mme de Staël.

Lausanne, à vrai dire, ne fournit que la compagnie et les journaux. L'ambassadrice va se fixer à la campagne. Elle a loué le château de Mézery, pour trois mois. Elle en sera la maîtresse durant une bonne année: son plus long séjour, jusqu'ici, en un même lieu du Pays de Vaud.

Benjamin, lui, a passé l'hiver dans la principauté de Neuchâtel, à Colombier. Belle vieillit mal. Benjamin fait auprès d'elle sa dernière cure de pessimisme, vit sa dernière saison d'adolescence prolongée. Le 3 avril 1794, sans avoir pris congé — c'était sa manière — il repart vers le nord. Destination, une dernière fois: Brunswick.

Comme il faut bien que le sort s'amuse, Germaine, trois jours plus tard, prend aussi la route du nord, mais une route parallèle, celle de Zurich. *Il m'a paru qu'on y redoutait sa chaleur et sa vivacité*, note de son refuge argovien Montesquiou *, l'ex-général républicain qui veille de loin sur un certain M. Ludovic, un autre ex-général et un réfugié aussi, lequel s'appellera un jour Louis-Philippe et sera sous ce nom — grâce à Constant parmi d'autres — roi des Français.

Vous savez, ajoutait Montesquiou, *qu'on prise surtout dans ce pays-ci la circonspection, qui n'est pas sa vertu d'habitude...* Plaidant à chaque étape pour elle et ses amis, Mme de Staël n'obtient pas grand succès. Mais on tolère son séjour. A Zurich, elle passera près de deux semaines: elle y a retrouvé Ribbing. Elle poussera jusqu'au Rhin, sans le franchir. *Je*

77

retourne dans mon tombeau; j'en ai vu la porte à Schaffhouse, elle s'est refermée pour moi. C'est à Lausanne qu'elle retourne, à petites étapes. Mais l'image macabre s'imposait à elle, malgré elle peut-être. Elle se dirige bien vers une tombe.

Les Necker s'étaient installés à Lausanne, à l'automne de 1793, pour se rapprocher d'un médecin, le fameux Dr Tissot. Au printemps, malgré l'état de Suzanne, le couple avait pris ses quartiers d'été, hors les portes, dans ce château de Beaulieu que nous connaissons bien. Germaine l'y avait rejoint. Dans *Delphine*, quand elle conduit son héroïne à Lausanne, se souvient-elle de ce séjour?

Tout à coup j'entendis des gémissements dans une maison vis-à-vis de la mienne, la fenêtre en était ouverte, et les plaintes arrivaient jusqu'à moi, qui, seule éveillée dans la ville, pouvais seule les entendre... Je demandai le matin qui demeurait dans la maison d'où j'avais entendu partir des plaintes et j'appris qu'elle était habitée par une femme âgée et malade, qui souffrait pendant la nuit, mais trouvait assez de soulagement pendant le jour, dans les derniers plaisirs de l'existence physique qu'elle pouvait encore supporter.

A son retour de Zurich, Germaine trouve à Beaulieu sa mère à bout de souffle, assez vive pourtant pour lui refuser sa porte: *elle suit son caractère jusqu'au dernier moment.* Son père fait venir tous les soirs au château de la musique et la mourante s'entretient avec les siens par la porte entrouverte. *Fais venir dans la chambre à côté de la mienne cet orgue dont les sons harmonieux ont attiré notre attention l'autre jour...,* demandera aussi Delphine à l'heure dernière. Et Germaine, qui a mis sa vie dans ses romans et vécu comme des romans toute sa vie, dira qu'elle puisait dans la musique *le pressentiment d'une autre existence.*

Suzanne Necker mourut à 56 ans, le 14 mai 1794. M. Necker remit à l'automne son retour à Coppet. Germaine, elle, s'en fut à Mézery, dont elle avait pris possession dès les premiers jours du mois. Savait-elle que, trente et un ans plus tôt, Gibbon, ayant reçu de Suzanne Curchod une lettre où elle lui reprochait sa trahison, en avait ressenti « des regrets et presque des remords », qu'il s'était empressé d'aller oublier en dînant dans ce même château de Mézery?

Elle le situe à deux lieues à l'occident de Lausanne (ce qui est trop largement compté), le dit isolé (ce qui demeure miraculeusement vrai), environné d'arbres faits pour ombrager une tête aimée. La position est ravissante, les promenades voisines charmantes... La description reste courte. Pour Germaine, c'est déjà beaucoup.

L'a-t-on remarqué? Quand on parle de Mme de Staël sur les bords du Léman, il faut presque toujours prendre la formule à la lettre. D'Ouchy à Cologny, par Rolle, Nyon, Coppet, elle erre sur la rive, sans s'écarter vraiment des grèves. De toutes ces demeures passagères, Mézery sera la plus éloignée du lac. Pour mieux le dominer.

Devant la petite gentilhommière, fort rustique et délabrée — des Constant bientôt la rénoveront; Germaine en attendant juge l'intérieur « une assez mauvaise auberge »,

Le château de Mézery,
vu de la terrasse.

le compare même au décor romanesque et branlant du *Château d'Otrante* — s'ouvre une vaste terrasse. Dos tourné à ce qu'on nomme le Haut-Lac, à Clarens, à Meillerie, aux monts de la *Nouvelle Héloïse*, elle commande le Léman dans sa longueur, qui court vers Genève, puis à main droite le plateau vaudois, fermé par le Jura déjà proche. De ces hauteurs, plus que jamais le lac semble un fleuve immense, à moins que les brumes, effaçant la Savoie, n'en fassent une mer.

A Mézery, Germaine retrouve ses amis qui l'y attendaient. Le phalanstère a un toit. La « colonie » va se regrouper, plus nombreuse que jamais. Mézery sera « l'hôpital des émigrés », de ceux qui fuient cette « peste sociale » — le mot est de Germaine — chaque jour plus virulente en France, et qui gagne peu à peu du terrain en Europe.

Les Genevois chassés par les troubles répétés de cette ville, les Français protégés par Mme de Staël n'avaient pas été seuls, on s'en doute, à chercher refuge dans le Pays de

Mᵐᵉ de Staël à Mézery. Dans ce portrait à la gouache, destiné à Ribbin[
elle s'est fait représenter portant à la main la lett[
du régicide, condamné à mort, à sa mère: « ... Dans ce tableau, v[
l'instant qui fit naître — Le sentiment dont je vis à jamais[
dit l'envoi en vers toujours attaché au tableau et daté de décembre 179[

Vaud. Certains avaient donné dès les années 80 l'exemple que suivirent les Necker: ils s'étaient acheté de ce côté-ci du Jura une terre et un toit. Les autres, infiniment plus nombreux, arrivèrent par vagues.

La première déferla à l'été de 1789. On compta un jour à Lausanne un prince, sept ducs, deux cents comtes et gentilshommes moins titrés, vingt officiers. Ce furent peut-être les seuls vrais émigrés. Les prêtres suivirent: en ce même jour on trouvait dans la ville un archevêque, deux évêques, cent soixante prêtres et religieux. Les femmes, les vieillards, les enfants étaient le plus souvent des fugitifs, parfois démunis. A Lausanne toujours, on vit trois duchesses manger ensemble à la gamelle, à l'hôtel de ville. Ces gens-là n'avaient pas tous quitté volontairement la France pour prendre le parti des ennemis de la Révolution. Ils avaient sauvé leur tête, tout comme les magistrats, les révolutionnaires en voie de repentance, les bourgeois et les artisans — on les recensa par centaines — dont l'afflux commença vers 1792. Ils avaient été attirés par la Suisse, neutre et non point ennemie. Mᵐᵉ de Staël, qui les appela d'emblée des réfugiés, devait être parmi les premières — avec l'aide de Constant peut-être, de Louvet certainement, l'auteur de *Faublas*, caché près d'Echallens — à fixer très nettement cette distinction.

Les Vaudois furent accueillants, charitables souvent. Ils nommaient les émigrés *les respectables étrangers que les malheurs de leur patrie ont conduits au milieu de nous*. Avec le temps, les pressions vives de Paris et la cherté des vivres aidant, la prudence, la méfiance, une certaine hostilité même l'emportèrent parfois. Et les réfugiés — leurs vagues roulèrent jusqu'en 1797! — ne facilitaient pas toujours les choses. Brillat-Savarin, Lausannois lui aussi en ce temps de disgrâce, raconte l'histoire de ce compagnon d'infortune, grand, fort et beau, qui, pour ne pas travailler, s'était réduit à ne manger que deux fois par semaine. Un négociant de la ville lui offrait ces deux repas, où *il officiait à faire trembler*. Le reste de son temps, il le passait au lit. Brillat, qui n'était pas réduit à de telles extrémités, se délectait au « Lion d'Argent » du vin du pays, *un petit vin blanc, limpide comme eau de roche, qui aurait fait boire un enragé*.

Les exilés portaient souvent jusqu'à l'exaltation leurs préjugés politiques, leurs habitudes d'esprit. Rencontrer ceux de Lausanne c'était, disait Germaine, *affronter la tempête aristocratique*. Et Benjamin écrivait cruellement: *Ces pauvres émigrés font tout ce qu'ils peuvent pour nous consoler de leurs malheurs...*

Les amis de Germaine n'étaient point des extrémistes, ce qui leur valait d'être haïs. Elle leur épargnait le recours aux expédients — Montmorency se verra pourtant impliqué, à tort, dans une affaire de faux assignats — ils songeaient même à travailler, à cultiver les terres de Mézery. Cela resta un songe.

Songe brillant, sinon agréable. *La supériorité*, relève un témoin ébloui, *avait été mise en commun*. Mme de Staël avait fait de Mézery un refuge *où elle-même n'aurait qu'une part égale dans la liberté qu'elle accordait à tous*. C'est Thélème, en Pays de Vaud. Et le témoin ajoute que tous, *ils se consolaient de leur grandeur perdue dans la jouissance des affections humaines*. Hélas!

A la réunion des « frères », il manquait toujours, aux yeux de Germaine, un «centre». Elle n'écrit plus à Narbonne, sinon pour lui dire qu'il a sa chambre à Mézery, *vide à jamais, je le crois*. Par malheur, il reste au château une autre chambre vide. Celle de Ribbing, la seule qui compte. Du coup, le château n'est plus que « ce pauvre Mézery ».

A la cour de Ribbing, Germaine avait vaillamment résisté. Elle n'avait donné que son cœur. Revoir, à Zurich, lors du voyage vers le Rhin, le beau Suédois l'attendrit. A la perspective de la séparation, elle ne résista plus. (Elle avait, l'a-t-on oublié? vingt-huit ans tout juste et se trouvait en somme deux fois veuve, ou bien alors liée à deux fantômes d'homme flottant au loin depuis des mois, dans les brumes de Stockholm et de Londres, ce qui ne valait guère mieux pour cette femme dix fois vivante, dont le cœur *ne savait pas vivre de distractions et de légèretés*.) Quand Ribbing, après lui avoir fait au départ un bout de conduite, aura repris la route de Zurich, elle suivant celle de Lausanne, une lettre partira vite à ses trousses, qui ne laisse aucun doute... Elle est d'autant plus belle qu'y point le remords de la liaison précédente. Elle est prophétique aussi: *Vous ne savez pas*, dit-elle, *l'engagement que vous avez pris*.

Le château de Mézery, le hameau de Vernand-Dessus, d'après d'anciens plans.

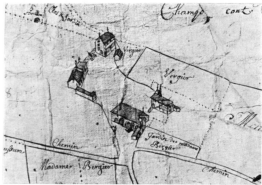

Cet engagement exige d'abord du Suédois de rejoindre Lausanne le plus tôt possible. La mère du proscrit, son futur beau-père, des amis pourraient venir à la traverse, qu'à cela ne tienne! Mme de Staël les logera tous. L'hôpital a des annexes. Un nom surgit dans la correspondance: Lance. Il semble que Germaine, au printemps, y ait logé le comte de Jaucourt et son amie, Mme de la Châtre, qu'il épousera bientôt. Elle y installera les Suédois. Lance revient donc comme un refrain dans les lettres de Mézery. Aujourd'hui, le nom même a disparu. Chose surprenante, il ne se trouve nulle part non plus sur les plans et les registres du temps: château du mystère... Pourtant, la correspondance le situe. *Lance, sur baillage de Lausanne, est fort retiré. C'est à trois quarts de lieue de Mézery*, de la ville: cinq quarts de lieue. Un petit village n'est qu'à cent pas. L'habitation est charmante: *une maison comme à Paris, une vue superbe, un enclos assez considérable et si retiré qu'on peut passer là dix ans sans être troublé une minute.* (Dans la vieille Suisse toujours oligarchique, Ribbing n'est pas mieux vu comme Français supposé et ami des constitutionnels que comme régicide suédois.) Dernière sûreté: on va de Lance à Mézery *par des chemins où on ne rencontre jamais un chat émigré.*

Lance pourrait être la campagne que les Lausannois du XVIIIe, comme ceux d'aujourd'hui, nommaient Vernand-Dessus *. Mais qu'importe? ce qui compte, c'est que ce nom-là ait été pour Germaine en ce début d'été 1794 le mot de passe du bonheur, d'un bonheur menacé, mais vrai: celui de l'attente, puis de l'attente comblée.

Vers la fin de juin, Ribbing arrive à Lausanne et s'installe à Lance. Ce qui compte encore, c'est que Mme de Staël, préparant l'arrivée de l'ami ou courant à son rendez-vous, ait suivi à pied les chemins qui montent de sa maison vers les bois. Creusés dans la molasse qui affleure à la moindre pente, ils se ressemblent tous, bordés de noisetiers, d'aubépines et de chênes bas, humides souvent au moindre « bout de plat ». (Dans ce pays de côtes et de ravins, il n'y a jamais que des bouts de plat.) C'est qu'elle l'ait rencontré, sur l'ordre d'un billet fiévreux, au bas de l'avenue: *venez au devant de moi, je pars à pied dans une demi-heure. Je vous verrai dans le bois de Lance.*

Ces bois aussi se ressemblent tous, et depuis toujours. Dès que la terre est assez profonde, sur les degrés de molasse, le hêtre, qu'ici on appelle « foyard », d'un nom tout proche du latin, domine superbement. Sa charpente est à la fois puissante et légère. Il dresse très haut une pile droite, musclée sous une écorce grise et fine comme la soie. Quand, sous le dôme très clair de feuilles vertes ou pourprées, les branches maîtresses d'un foyard à l'autre se rejoignent comme l'arc brisé d'une voûte, la forêt devient cathédrale.

Germaine passait. Vite sans doute, elle avait d'autres soucis: en France, la Terreur touchait au paroxysme, l'agence de sauvetage ne suffisait plus à sa tâche. Le phalanstère avait bien enfin trouvé un « centre », avec Ribbing que Germaine appelait de longue date « un de nous », mais après un mois à peine Ribbing parlait de repartir. Et, pour comble d'importunité, Narbonne s'annonçait!

Il faisait plus, il arrivait. C'était trop de deux centres, pour la colonie. Une anecdote improbable veut que Germaine ait tremblé de leur rencontre — elle ne leur avait pas laissé ignorer grand-chose l'un de l'autre — puis de les voir, tôt après, disparaître tous deux. Duel? Ils étaient allés ensemble à la pêche... Le lac, pourtant, est à plus d'une lieue et les cannes ne devaient encombrer ni le vestibule de Mézery, ni celui de Lance. Sur quoi, Ribbing partit, tandis que Narbonne s'installait, qu'à Genève la Terreur éclatait, qu'à Paris elle prenait fin avec la chute de Robespierre et que Benjamin Constant... Mais l'heure n'a pas tout à fait sonné.

Ribbing reviendra, passera la fin d'août à Lance. Nouveau coup du sort : le bailli intervient, expulse Mathieu de Montmorency et le Suédois, qui obéit avec une déférence presque suspecte. Il va s'établir au Danemark. Mme de Staël à son tour lui fait un bout de conduite. Ils se quittent le 7 septembre, en Argovie. A peine la poussière est-elle retombée, que Germaine envoie un homme après lui, porteur du chapeau qu'il a oublié, d'un petit coussin vert pour la tête et de deux lignes « inlisibles ». Puis reprend la route du Pays de Vaud, lentement.

Ce sera pour apprendre en route que son père a été condamné par le tribunal révolutionnaire de Genève, par contumace heureusement. Pour écrire, à côté d'autres mots très touchants, cette phrase d'une formidable mais involontaire ironie : *que je sens à présent l'ennui de ce pays !* Et pour arriver à Lausanne, le 18 septembre 1794.

Benjamin Constant en 1792,
silhouette de Marianne Moula.

J'ai trouvé ici ce soir un homme de beaucoup d'esprit qui s'appelle Benjamin Constant... Beaucoup d'esprit, peu de figure. C'est ainsi qu'à Montchoisi Germaine voit Benjamin. Elle n'en démordra pas de longtemps.

On n'a guère d'image de lui à cette époque. Les descriptions sont plus nombreuses. Voici celle qu'en donne, de mémoire, une dame allemande, femme de lettres de surcroît: *Constant était infiniment aimable, libertin sans corruption... Une stature élancée, de la grâce mêlée de gaucherie, des traits nobles dans leur laideur, une virilité juvénile avec un teint blafard et des cheveux rouges.* Cela n'est pas pour démentir Mᵐᵉ de Staël.

Constant n'avait passé qu'un peu plus de deux mois à Brunswick. On l'y avait fort mal reçu. Le brillant jeune homme en qui la ville s'accordait à voir le futur ministre du duc * courait danger de se trouver exclu de la cour. Il était revenu désespéré d'Allemagne. Mais il ne pouvait faire, si sombre fût-il, qu'il ne subsistât dans sa nuit comme un reflet lumineux. *Je puis espérer la plus belle aurore que j'aie jamais vue!* avait-il écrit après avoir rencontré Charlotte. *Puisque ce faste de dédain ne m'a pas rendu heureux, au diable la gloire d'être supérieur à ceux qui sentent. J'aime mieux la folie de l'enthousiasme, si ce qui rend heureux est folie, que cette funeste sagesse... Revenez donc, passions que j'ai amorties... Reviens confiance que je m'applaudissais si follement de ne plus avoir, sentiments d'amour, d'amitié, de bienveillance, heureuse crédulité qu'on m'a arrachée par de précoces et fastueuses leçons. Revenez!*

Constant était prêt à rencontrer Mᵐᵉ de Staël. Et cette rencontre n'allait pas seulement marquer le début d'un grand amour. Sur le plan du sentiment, des idées et même des principes politiques, elle devait chez cet homme de vingt-sept ans susciter une véritable conversion.

Les choses marchèrent à la Constant, très vite. Le 8 octobre 1794, on s'en souvient peut-être, trois semaines après la rencontre de Montchoisi, Benjamin s'est déjà déclaré, et Germaine nantit aussitôt de la chose Ribbing absent. Pour elle, ses sentiments ne font aucun doute: Constant ne peut prétendre qu'à sa brillante indifférence. Elle ne pense qu'à Ribbing; Ribbing a promis de revenir; elle croit à son retour, elle l'attend.

Edouard Herriot porte sur Constant jeune un jugement qui d'abord surprend : *il y avait en lui du Bonaparte.* Pour l'ambition, peut-être. Pour un certain goût de la littérature, considérée aussi comme un moyen de parvenir, assurément ! Le petit Corse brun et le long Vaudois roux auraient-ils d'autres traits communs, leur maigreur d'efflanqués mise à part ? Vis-à-vis des femmes, par exemple, une comparable naïveté ? Qui les pousse à mettre en œuvre, pour les conquérir, des moyens peut-être héroïques, mais d'une efficacité hasardeuse et certainement disproportionnés à leur objet ? On va voir Benjamin entreprendre une véritable campagne, acharnée, audacieuse, un peu folle, mener — là où peut-être un peu de patience aurait suffi à d'autres — la plus tapageuse guerre de siège.

D'abord, il investit la place et coupe à sa garnison la route de Lausanne. Ses propres campagnes, celle de la Chablière en particulier, ne se trouvaient, au trot, qu'à un quart d'heure à peine du château de Mézery. C'est encore trop. Constant n'hésite pas à louer une maison plus proche encore, le Bois de Cery, *pour passer sa vie* — écrit Germaine le 22 octobre — *dans mon jardin ou dans ma cour.* C'est parfaitement vu... Cery domine Jouxtens-Mézery d'un degré, une falaise de pierre jaune maigrement boisée. La maison n'est plus. La vérité oblige à dire qu'elle a fait place à un hôpital psychiatrique.

Je me fixai d'abord près d'elle, confirme Benjamin dans *Cécile. Je passai tout l'hiver à l'entretenir de mon amour.* Cet amour, il a pris soin d'en noter l'origine, de dire où le feu avait pris naissance : *ses louanges me firent tourner la tête.* Germaine, à son tour, confirme, dans une lettre à Ribbing : *Ne croyez pas que c'est ma faute. Je l'ai loué avec vérité sur un ouvrage intitulé* L'Esprit des Religions — pour Benjamin l'œuvre de sa vie — *où il y a vraiment du talent comme Montesquieu et, oubliant tout à fait que sa figure est un invincible obstacle même pour un cœur qui ne serait pas à toi, il est devenu tout à fait insensé...*

C'était sa tactique. Elle n'excluait ni la sincérité, ni la rouerie. Elle ne l'empêchait même pas de se montrer fort raisonnable. En politique, malgré les remontrances de Mme de Charrière et sa position à la cour de Brunswick, ou peut-être à cause d'elles, il s'était montré le plus souvent, comme on disait, fort démocrate, violent démocrate même, intraitable sur les principes et quelque peu porté à l'extrémisme. *Je suis fâché des excès où se porte le peuple après avoir secoué le joug: mais je le serais plus si ce joug n'était pas secoué. J'ignore si l'égalité universelle est une chimère, mais je sais que l'inégalité aristocratique est la plus affreuse des réalités,* écrivait dès 1790 le jeune homme à son oncle maternel, Salomon de Sévery. Et l'oncle Salomon, épinglant cette lettre avec celle d'un autre personnage mal vu, y portait cette rubrique: « De deux gueux impertinents ».

Le gueux impertinent avait conquis l'attention de l'ambassadrice de Suède en soutenant que le bénéfice de la liberté de la presse devait s'étendre même aux feuilles infâmes qui la traitaient, elle et ses hôtes de Mézery, de « roquets constitutionnels ». Il va se rendre, avec une promptitude remarquable, aux arguments juste-milieu de Mme de Staël. Dès la mi-octobre, il note: *La politique française s'adoucit de manière étonnante; je suis devenu tout à fait talliéniste.*

Cet hommage accordé à la sagesse politique de Germaine ne pouvait suffire à forcer le chemin de son cœur. Mais Benjamin a sa méthode. *M. de Constant a pris une passion pour moi dont je ne puis vous donner l'idée; il se meurt et m'accable d'un degré de malheur qui lui ôte son seul charme, un esprit très supérieur, et me commande une pitié qui tour à tour ou me fatigue ou me rappelle que jamais peut-être, jamais mon Adolphe ne m'a si vivement aimée...* Il perd connaissance quand il trouve l'ambassadrice arrangeant le portrait du beau Suédois. Bientôt — ces nouvelles confidences suivent de cinq jours les premières — il l'accable d'un « désespoir amer », il cherche à la bouleverser par des scènes funestes, il la monte contre Narbonne — toujours à Mézery et de plus en plus importun — pour n'arriver qu'à lui faire proclamer son amour pour Ribbing, à se faire traiter d'Esaü Constant, à se voir interdire la chambre de la dame de Mézery. *Et je crois que de longtemps cet homme amer et sombre n'y rentrera.*

La sentence dut être appliquée. Voici qui est du 15 novembre, à Ribbing toujours. *Ce M. Constant que j'éloigne de chez moi m'écrit cinq lettres par jour.* (Ces lettres ont disparu, comme toutes celles, ou presque, qu'ils allaient échanger durant plus de quinze ans.) Un

Benjamin Constant à l'âge de 23 ans, d'après un portrait qui aurait appartenu à Mme de Charrière.

tel exil ne pouvait se prolonger. Le 8 décembre, le Lausannois transi réapparaît dans une lettre, où on le nomme — est-ce un progrès? — M. *Benjamin* Constant. Il tombe en consomption. Sa passion fait pitié. Germaine l'engage à voyager. (Est-ce la première annonce du départ, à deux, vers Paris?) En vain! Benjamin reste, *pénible à regarder, surtout depuis que ce malheureux amour le tue.*

Ici se place un incident fameux, celui de la montre brisée. Il fit jaser tout Lausanne, sinon toute la Suisse des émigrés. Montesquiou l'apprit, dans son refuge des bords de la Reuss, vers la mi-décembre. Il le tenait de Mme de Montolieu, trop féconde romancière lausannoise, qui le tenait peut-être de Germaine elle-même, car les deux dames étaient assez intimes. *Je juge votre Benjamin tout à fait fol. Il a donc les trésors d'Aboulcassan! Narbonne est homme à ramasser tout doucement la montre cassée...*

Jusqu'à la publication de cette lettre, on ne connaissait l'affaire que par un fragment, assez suspect et d'ailleurs disparu, d'un prétendu journal de Constant. *Il était convenu avec Mme de Staël que, pour ne pas la compromettre, je ne resterais jamais chez elle passé minuit. Quel que fût le charme que je trouvais dans nos entretiens et mes fougueux désirs de n'en pas rester à des discours, je dus céder devant cette ferme résolution. Mais, ce soir, le temps m'ayant paru encore plus court que de coutume, je pris ma montre pour démontrer que l'heure de mon départ n'avait pas encore sonné. Mais l'inexorable aiguille m'ayant donné tort, par un mouvement irréfléchi de colère*

Germaine de Staël.

digne d'un enfant, je brisai sur le parquet l'instrument de ma condamnation. — Quelle folie! Que vous êtes absurde! s'écria Mme de Staël... Mais quel sourire intérieur j'entrevis à travers ses reproches! Décidément, cette montre brisée me rendra un grand service. L'éditeur de ce fragment assurait que, dans le journal du lendemain, on lisait cette phrase unique: *Je n'ai pas racheté de montre, je n'en ai plus besoin!*

Les biographes de Constant ont souvent pensé qu'ils tenaient là, sans date, un bulletin de victoire. Nous connaissons la date, décembre 1794, et tout triomphe s'évanouit. Car, au moment où Montesquiou se gaussait, un ami de Benjamin notait qu'il n'était pas heureux, qu'il n'avait plus l'espoir de l'être jamais, et qu'il ne saurait d'aucune façon l'être moins que « sur le terrain actuel ».

Le seul succès que Constant dut peut-être à sa montre, c'est d'être hébergé à Mézery. *Je me fixai d'abord près d'elle et chez elle ensuite.* Cet ensuite dut se situer en janvier 1795. M. de Staël avait ouvert l'année en faisant une apparition en Suisse. Selon sa femme, il se montra tendre, trop tendre. Selon les espions français, il se serait au contraire montré hautement mécontent. Ses confidences d'ambassadeur devaient en tout cas nourrir les dialogues de Germaine et de Benjamin. Une brochure en sortit, les *Réflexions sur la paix*. Dialogues politiques et non point amoureux, car la meilleure preuve de l'échec de Constant c'est qu'il recommença ses enrageries.

Elles avaient des témoins attentifs. Mme de Staël, c'était bien d'elle, avait sauvé la vie à l'une de ses pires ennemies, Mme de Laval, et l'avait accueillie sous son toit. Mère du fidèle Mathieu de Montmorency, cette dame avait été aussi la maîtresse de Narbonne, avant Germaine. A l'arrivée à Mézery de l'ex-ministre, elle réclama son bien, dit un témoin. Elle finira d'ailleurs par l'emmener, le printemps venu, sur les bords du lac de Bienne. En attendant, elle protégeait Constant « de toute sa pitié ».

Dès les premiers jours, il devait avoir menacé de se donner la mort. Germaine connaissait bien, pour en avoir souvent usé, ce genre de menace; elle savait ce qu'il faut rabattre de pareilles déclamations. Au surplus, dans ce cercle de gens sensibles, les propos devaient souvent sonner à l'octave des sentiments. Germaine elle-même raconte qu'un jour de janvier 95 la bague que Ribbing lui avait donnée sauta dans le feu, comme elle jouait avec. Son désespoir est « insensé »: elle ne reverra jamais celui qui refuserait d'aller chercher le bijou dans les flammes. Ayant rapporté ce beau trait, elle ajoute de la même plume qu'un domestique fut incontinent payé pour tirer l'anneau du feu!

Toujours est-il que Constant, au début de mars 1795, continue à poursuivre son inaccessible amie par la terreur. Il se casse la tête à la cheminée pour peu qu'elle le prie de quitter la chambre. Le Suédois, lui, se montre toujours plus lointain, plus raisonnable, moins disposé à tenir sa promesse de retour: d'où peut-être ces confidences un peu appuyées. Le ton de certaines autres ne trompe pas, ainsi cette lettre des premiers jours d'avril, où elle résume douloureusement mais justement son sort: *Tout ce que je n'aime pas s'attache à moi, tout ce que j'aime m'abandonne.*

De l'une de ces scènes « de mort et de maladie », la plus grave ou la plus bouffonne, nous avons le récit, de seconde main, mais irrésistible. Au soir d'un jour où l'humeur de Constant avait dégénéré en véritable misanthropie, à minuit, des cris affreux retentissent dans son appartement. Les domestiques le trouvent dans son lit, défiguré, en proie au délire et aux convulsions. Ils jettent l'alarme. Constant se meurt... *Il y va de la vie*, dit noblement Germaine, et elle y va. Tout le château est déjà autour du lit. Elle paraît,

sanglote, appelle un médecin. *Ah! c'est vous*, dit le moribond, *c'est vous! Vous me rappelez un moment à la vie... — Vivez, cher Monsieur Constant, je vous en conjure... — Ah! Puisque vous l'ordonnez, je tâcherai de vivre...*

Il y était déjà si bien parvenu, note le témoin ironique, *que, saisissant la main de Mme de Staël avec une sorte d'étreinte nerveuse dont elle fut effrayée, il y imprima un long baiser... Le miracle de sa résurrection n'était plus douteux quand le médecin arriva.*

Le lendemain, Constant était tout à fait rétabli. Pour l'honneur de tous, on lui promit le secret. Il fut si bien tenu qu'au surlendemain de la lettre de Germaine à Ribbing, Montesquiou écrivait de son côté à sa confidente: *Le Benjamin n'est pas amoureux seulement, je le tiens pour fol à lier. Il s'est empoisonné déjà une fois, dites-vous. Quand on fait ces facéties, il faut en mourir pour l'honneur de la dame...* Cela, au moins, date sûrement la scène, de la seconde quinzaine de mars 1795.

Quelle comédie, bon Dieu! avait grommelé Montmorency. Benjamin, les grands jours de Coppet nous en apporteront la preuve, était un acteur détestable. Or, si comédie il y eut, il faut admettre qu'elle fut supérieurement jouée. C'est tout ce que l'on peut dire en faveur de sa sincérité. Pour le reste, il n'en était pas à son premier suicide manqué, il devait même plus tard élever cette menace au rang d'utile et presque commun stratagème. Sainte-Beuve a forgé une formule qui va profond: cet opium, dont Constant ne restera pas seul dans le cercle à publiquement abuser, n'était pris qu'à « la dose de Coppet ». On se contentera de rappeler encore qu'en ce temps, l'opium tenait la place exactement qu'occupent dans le nôtre, et dans la chronique de nos monstres sacrés, les somnifères et les tranquillisants.

Bientôt, note le témoin, *Constant s'amnistiant lui-même, on l'amnistia*. Mais rien, vraiment rien, ne permet de croire qu'il emporta la place... Tout au contraire, Mme de Staël donna clairement à entendre qu'il lui inspirait une invincible antipathie physique. Elle n'allait point pourtant jusqu'à éloigner le jeune suicidé. Partant en voyage, elle l'emmena même avec elle.

C'est qu'avec l'année 1795 a commencé le reflux. Les protégés de l'ambassadrice quittent son hôpital et la Suisse. Berne, toujours un peu à la traîne, signifie d'ailleurs une fois de plus à la dame de charité que ses hôtes lui déplaisent. Du reste, pour Germaine aussi, la route de Paris semble s'ouvrir. Les Thermidoriens sont rassurants; ils le paraissent plus encore après Germinal. Réfugiés, émigrés même ne parlent que de retour. Eric, pour lui, s'est déjà réinstallé à Paris, à l'hôtel de Suède. *Mme de Staël y va!* écrit Montesquiou. Elle veut croire encore qu'elle y ira avec Ribbing. Elle se prépare pourtant, dès fin février, à s'y faire mener par Constant, malgré ses défauts encombrants: *C'est un fou de beaucoup d'esprit et singulièrement laid, mais c'est un fou.* Excuse rassurante?

La fin de l'hiver, le premier printemps se passent en brefs séjours à Lausanne, à Coppet, à Greng encore, chez M. de Garville, un financier de Paris, en pays fribourgeois, à deux pas du lac de Morat. Dès le début d'avril, Mézery et ses grands arbres semblent abandonnés, sans un mot de regret.

Et Benjamin? Si Germaine était jamais seule, il serait seul avec elle. Il se trouve en tout cas le dernier homme de sa cour à lui tenir fidèle compagnie. Il n'est pas douteux que

le projet de départ pour Paris l'enchante. Peut-être a-t-il reconnu, dès les premiers jours, dans la femme qui l'éblouissait celle aussi qui lui ouvrirait la route de Paris, du succès, du pouvoir. Si l'éclat de Germaine, la chaleur de son admiration l'ont sauvé du naufrage, lui ont redonné goût à la vie, c'est à toute la vie maintenant qu'il veut goûter, pas seulement à l'amour, mais à la gloire.

A-t-il déjà l'amour ? Beaucoup l'ont supposé. Un témoignage leur paraissait décisif, celui d'un hôte de Greng, Jacques de Norvins, l'auteur plaisant et disert du *Mémorial*. Germaine retrouve au château fribourgeois du financier presque tous ses ex-pensionnaires de Mézery. C'est une fête. Pourtant le moment des adieux approche...

Entre la grande console, placée vis-à-vis la cheminée du salon, et la porte de la salle à manger il y avait un grand canapé. C'était l'après-dîner: tout le château était réuni. Un homme gracieux, élégant, desinvolto, *alla s'étaler à peu de chose près sur le canapé, dans l'entrain négligé d'une conversation dont lui-même il avait improvisé le sujet, et qu'il soutenait avec toute la vivacité et la pétulance de son esprit. Comme il parlait, une femme s'élança de l'angle opposé du salon et, franchissant cette distance, vint s'abattre comme une colombe de proie sur un petit tabouret placé au bas du canapé; appuyant son coude sur ce qui en restait de libre, elle s'amusa, ou elle se plut, ou même elle s'étudia à fasciner de ses regards et de ses paroles celui qui parlait au-dessus d'elle. L'ayant à la fin autant embarrassé par de piquantes et de rieuses réfutations que par la position de familiarité suppliante qu'elle avait choisie, elle vit son succès et s'abandonna bientôt, pour le rendre plus décisif, à un laisser-aller de générosité si affectueux, qu'elle le rendit presque confus du bonheur dont elle l'accablait.*

La page est belle. L'image extraordinaire, splendide, d'une « colombe de proie » ne peut désigner que Mᵐᵉ de Staël. Mais peut-on reconnaître Constant dans l'homme « gracieux, élégant » qu'elle subjugue, et comble ? Le doute paraît pour le moins permis.

Une petite phrase qu'ajoute Norvins pourrait peser plus lourd, car elle ne fut certes pas écrite au hasard: *Je ne sais ce qui se passait entre ces trois personnes* (Mᵐᵉ de Staël, Constant et Mᵐᵉ Rilliet, l'amie d'enfance), *mais, après le départ de leurs amis, elles parurent comme plus libres d'elles-mêmes et plus communicatives.* Un document sans date, mais écrit de la main de

Benjamin, un engagement de n'être qu'à Germaine — qu'on était loin déjà du don de la bibliothèque, premier billet gagé de Constant à l'ambassadrice — apportait dès lors* la dernière certitude. C'étaient bien deux amants qui, dès la mi-avril, se faisaient délivrer des passeports pour la France.

Pour nous qui connaissons les correspondances récemment révélées, ce sont bien plutôt des associés, peut-être des complices. L'aventure qu'ils vont tenter est d'abord d'ordre politique. Reconquête pour elle, conquête pour lui. De Paris, et du pouvoir.

C'est bien ainsi d'ailleurs qu'en ce printemps 95 ceux qui les connaissent interprètent ce départ à deux. Le 5 avril, grâce aux bons offices de la Suède, c'est-à-dire de M. de Staël en particulier, la France et la Prusse ont signé la paix de Bâle. L'oncle Germagny parle du « rôle inattendu et honorable », que l'ambassadrice s'apprête à jouer. Necker, plus perspicace ou instruit par l'expérience, recommande à sa fille de calmer son ambition, tout en demandant à Constant de *ne pas la pousser*, mais de lui donner plutôt, et souvent, *des leçons de prudence et d'attente*. Voilà Benjamin de sigisbée promu mentor...

Seul Montesquiou feint de s'étonner. Comme Suisse, Constant n'est-il pas bien maître d'aller en France ? *Pourquoi a-t-il besoin d'être mené par Mme de Staël ?* Pourquoi ? Qu'il compte bien conquérir la baronne, c'est probable, qu'il ne fasse même pas le départ entre les deux entreprises, politique et amoureuse, c'est possible. Elle, selon toute apparence, ne songe encore qu'à reconquérir Ribbing, avec Paris.

Au printemps de 1795, je la suivis en France, note dans *Cécile* le greffier Constant. Le 1er mai un banquier de Lausanne donne en l'honneur de Germaine un bal « à nul autre pareil ». Constant, lui, a apporté sa démission de chez le duc de Brunswick, qu'il a feint de donner pour elle parce qu'elle feignait de voir dans sa charge allemande un obstacle au voyage. Mme de Staël quitte Coppet vers le 10 mai, Lausanne le 13. Elle ne voyage qu'à toutes petites étapes, en faisant des détours. Première halte à Yverdon : les « frères » dispersés se retrouvent encore pour un jour dans la ville de l'*Encyclopédie* rechristianisée, où Rousseau comptait parmi les bienfaiteurs de la Société de lecture. Cette entrevue fit grand bruit à Paris: on y vit le noyau d'une conspiration. Nous savons, par Montmorency, qu'on y disputa plus de religion que de politique... A Orbe, sur la première pente du Jura, nouvelle halte. Mme de Staël y passe deux jours. C'est qu'elle a peur, et elle l'avoue.

Saisie d'effroi au moment de mettre les pieds sur cette terre de France, presque convaincue que je n'en sortirai jamais, je me sens un grand besoin d'appui... Cette lettre (à Ribbing, on s'en doute) *est mon testament.* Sur quoi, le 16 mai, elle passa le Jura. Ses craintes pouvaient être excessives: elles n'étaient pas chimériques. Le premier bruit de son retour avait déjà soulevé des orages dans la presse parisienne, comme à la Convention, où l'on entendait tous les jours des déclamations injurieuses contre elle. L'annonce de son arrivée en fit éclater un à l'ambassade de Suède.

Clef de chambellan du baron de Staël,
en or massif, aux armes de Suède.

— *Ma femme arrive!* annonce un matin l'ambassadeur à son secrétaire Jacobson.

— *Malédiction!* répond-il, *il faut que vous l'en empêchiez!*

— *C'est impossible!*

— *Non, ce ne l'est pas, morbleu!*

— *Pourriez-vous le faire, Jacobson?*

— *Oui, je le peux.*

— *Hé bien, taisez-vous, et faites!*

Jacobson fit, ce qu'il put... Multiplia, avec la complicité des membres du Comité de Salut public, les ordres aux factionnaires et aux maîtres de poste, engagea un brave prêt à tirer sur les chevaux de l'ambassadrice au cas où elle ne serait pas disposée à tourner bride, prit lui-même la route du Jura. Son retour à Paris fut morne. Mme de Staël et Benjamin Constant l'y avaient devancé. Ils avaient pris un chemin réputé impraticable...

Leur arrivée n'avait guère été plus triomphale. C'était le 25 mai, ou le 6 prairial, au lendemain des journées qui ont donné au nom bucolique de ce mois sa sinistre résonance. L'émeute avait été écrasée, *les tyrans de la France ayant voulu rétablir leur affreux empire furent terrassés et vaincus.* Les deux conquérants entrant dans la ville croisèrent la charrette qui menait à la guillotine des gendarmes coupables de s'être mêlés aux émeutiers. *Je pensais à travers mes craintes*, écrit vite la châtelaine de Mézery au beau Suédois, *qu'il était cruel que ce ne fût pas vous qui me protégeassiez...*

Les soldats du camp de Marly n'eurent pas l'idée de marcher jusqu'à la rue de Varenne — angle rue du Bac — et de saccager l'hôtel de Suède, comme on l'avait fait craindre à l'ambassadeur pour le cas où sa femme viendrait à s'y installer. Leurs chefs s'y rendirent tout au contraire pour l'assurer bien haut qu'il n'était plus question qu'elle dût quitter la capitale. *Cochons d'Ulysse*, note Jacobson, *qui tonnaient dans la tribune comme dans la société contre une sirène si dangereuse pour la République et furent à ses pieds après son premier dîner.*

Circé ou non, Germaine avait retrouvé le champ clos où elle avait connu déjà tant de victoires, son salon parisien. De protecteur, Constant devenait protégé. Il se lançait dans un jeu doublement enragé, de politique et de spéculation sur les biens nationaux. Triplement enragé peut-être, puisqu'il doit bien avoir un autre motif encore que l'intrigue et l'argent pour passer, comme l'écrit un témoin, « dix-huit heures par jour » dans le salon de l'ambassadrice.

Celui qu'il avoue quatre jours après son arrivée à Paris à une confidente de Lausanne, sa tante la comtesse de Nassau, en décrivant Mme de Staël comme *une personne dont tous les jours le cœur, l'esprit, les qualités étonnantes et sublimes m'entraînent et m'attachent davantage.*

VIII

LE COPPET DE MONSIEUR NECKER

L'univers est dans la France; hors de là, il n'y a rien, écrivait Mme de Staël à un des
« frères » au début de 1796. Elle écrivait de Coppet. *Est-ce là ma place, au nom du Ciel ?*

Elle avait retrouvé la Suisse le jour de Noël 1795. * *Je ne puis renoncer au bonheur
d'accompagner Mme l'ambassadrice*, avait annoncé Constant aux Lausannois. Il l'accompagna, retrouvant son rôle protecteur. Ce retour au Pays de Vaud pouvait bien correspondre aux projets qu'avait esquissés Germaine le printemps précédent, il ne lui en était
pas moins imposé: Mme de Staël se trouvait frappée d'un décret d'exil.

Sur les bords du Léman, l'année 95 laissait un médiocre souvenir. La grêle avait
haché les vignes, la pluie pourri les moissons. Les émigrés avaient en grand nombre
repassé le Jura. Benjamin s'était défait de sa belle maison de la rue de Bourg, à Lausanne, pour mieux spéculer à Paris: c'était la marque d'un choix, celui du théâtre qu'il
voulait faire sien, donc un lien qui se rompait. En novembre, il avait enfin obtenu son
divorce d'avec Minna. Ce lien-là était rompu de longue date...

En France, Constant avait eu plus de succès dans ses entreprises financières que
dans ses opérations politiques. Ses premiers pas, des articles sans signature, en juin, *firent
un bruit du diable*. Il y para, en préparant pour Louvet — revenu lui aussi de son exil
vaudois — un discours où il réduisait à rien les thèses trop hâtives de ses propres articles...
Ses adversaires, faute peut-être de meilleur argument, croient le réduire à quia en le
traitant de Suisse, d'étranger: il lui faudra plus de vingt ans pour se défaire de cette
étiquette. Bref, il est suspect. Il ne se décourage pas pour autant. *L'ambition s'empara de moi,*

et je ne vis plus dans le monde que deux choses désirables, être citoyen d'une république, être à la tête d'un parti... Mais il se heurte à un obstacle encore, le plus inattendu: Germaine.

Elle a pourtant fait publiquement, au grand scandale de certains de ses amis, profession de foi républicaine, elle partage les espérances de son ami, mais *son imprudence, son besoin de faire effet, sa célébrité, ses liaisons nombreuses et contradictoires armaient contre elle toutes les défiances*, et celles, en particulier, des chefs républicains. *Leurs soupçons*, conclut Constant, *rejaillissaient sur moi. J'en souffrais beaucoup...* Sans Germaine, son salon, ses amis, il n'est encore rien, ou presque. Avec elle, ses plans les plus habiles pour jouer un rôle en France se trouvent à tout instant compromis. Elle lui nuit, mais il ne peut, à aucun titre, se passer d'elle.

Par deux fois, l'ambassadrice est éloignée de Paris. Chaque fois, Constant l'accompagne; dans une campagne proche, en été, en Normandie, à l'automne. C'est le moment que choisit Ribbing, toujours désiré, pour arriver à Paris. Dès que Germaine peut enfin regagner la capitale, le beau Suédois est « en résidence auprès d'elle ».

Il n'y a donc pas apparence que, passé de la guerre de siège à la guerre de mouvement, Constant ait trouvé sur le plan sentimental de quoi oublier ses premiers déboires politiques. — *Jouent-ils toujours le même jeu?* se demandent dans leurs lettres deux Parisiennes, vers la fin de l'été. *Est-il toujours passionné ou dépité? Le désespère-t-elle toujours?* Montesquiou, vers le même temps, donne pourtant une image un peu différente. Benjamin, chez l'ambassadrice, se montre très alarmé des tête-à-tête que la dame accorde successivement à plusieurs jeunes gens... Jaloux, donc. Se sentirait-il le droit de l'être? Il faut noter en tout cas que bientôt Ribbing se montrera jaloux de lui, ou bien feindra la jalousie.

Le changement qui s'était fait dans la personne de Constant, depuis son arrivée à Paris, frappait tous les témoins. On l'imagine *grand jeune homme d'une tournure guindée, qu'on aurait pu trouver niaise*, transi, aux pieds de sa dame. Ne se montre-t-il pas *amoureux comme on ne l'est guère à 18 ans?* De fait, il se jette à corps perdu dans la vie parisienne, cette vie

un peu folle d'après la Terreur. Il s'est fait tailler les cheveux à la Brutus, qui n'en sont pas moins roux pour autant : *un soleil en décembre*, lancera le cousin Charles, et Lausanne ne l'appellera plus que « le tondu ». Le jeune homme négligé, plus efflanqué d'ailleurs et plus voûté que jamais, est devenu *de tous les muscadins du pays le plus élégant sans doute*.

En adoptant les modes du jour, c'est encore la république, menacée de droite et de gauche, que Benjamin dans sa naïveté républicaine — le mot est de lui, on s'en doute — entendait servir, tout comme Germaine souhaitait la servir lorsqu'elle engageait en vain les nobles rentrés à ne pas comploter contre le gouvernement. On sait qui se chargea à coups de mitraille de sauver la république et le juste milieu : Bonaparte. Mᵐᵉ de Staël et Constant se doutèrent-ils que, la préservant le 13 vendémiaire (5 octobre 95), il la perdait à terme ? Que, bien plus, l'homme de leur double destin venait de surgir devant eux ? Assurément non.

Comme à son habitude, Germaine, elle, sauva quelques têtes à cette occasion, ce qu'elle paya de son exil. Et Necker retrouva son humour pour noter, à l'arrivée du couple : *ils sont tous deux merveilleusement lestés en idées et en espérances républicaines.*

A Coppet, Germaine retrouve aussi avec le lac sa menace favorite quand elle écrit à un Ribbing qui de toute évidence n'a aucune envie de la rejoindre. Elle avait commencé par chercher sur la rive une maison, pour elle et pour lui, où ils seraient parfaitement paisibles, *dans le plus beau lieu de la terre*. Dès février 96, les lettres se faisant rares, le lamento s'élève : *mourir dans ce lac qu'on devait regarder avec vous, c'est trop de douleur.* La menace se précise bientôt : *ce lac qui est devant mes yeux sans cesse devrait me servir d'asile.* Sa dernière lettre au Suédois, lettre d'amour s'entend, car elle ne rompit pas plus avec lui qu'avec ses autres amis, porte la date du 10 mars. C'est un adieu, déchirant, mais où perce sous la violence des mots comme une sérénité naissante. *Moi qui ai tant soigné le bonheur des autres. Ah ! personne ne peut m'aimer. Je veux vivre seule ; que le mot d'aimer soit banni loin de moi... Il n'y a personne digne de soi, il n'y a que de la douleur à recueillir.* Si elle n'avait pas encore sonné, l'heure de Constant allait venir.

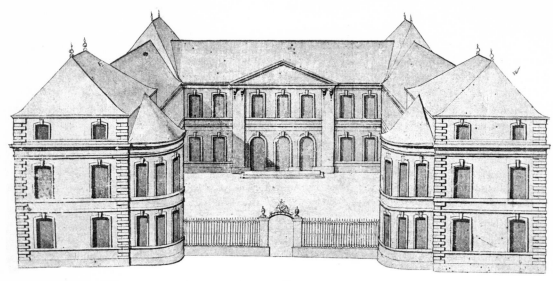

Vue du Château du côte du Jardin & du couchand:

A Coppet, Germaine avait, à l'en croire, *réglé sa journée comme celle d'un chartreux, pour tâcher d'engourdir la vie*, et son impatience. Le château se prêtait bien à un tel programme. Une tradition plus que douteuse en attribuait la construction à Pierre de Savoie, le Petit Charlemagne; les Bernois l'avaient fait flamber en 1536. Lorsque Necker l'avait acheté pour 500 000 livres, en 1784, il avait été reconstruit une fois de plus une quinzaine d'années auparavant. Réfection insuffisante: le nouveau baron dut reprendre les aménagements intérieurs, sans pourtant céder trop au goût du luxe et du confort. Depuis la Révolution, l'homme se jugeait ruiné; en bon Genevois, il se montrait ménager non seulement de ses biens, mais de leur revenu. Bientôt, un visiteur jugera la demeure un peu délabrée, et Germaine s'apercevra, parce qu'on lui en avait fait l'observation, que, dans sa chambre, aucun plafond ne cachait les poutres... Mais quoi? *On n'embellit pas sa prison.*

Temple de Coppet,
le monument élevé par Mme Necker à la mémoire de ses parents.

Le luxe des Necker était — leurs amples et discrètes charités mises à part — d'un caractère plutôt funèbre. Dans une chapelle de l'église du bourg, lequel étire sa longue rue sous la façade et la terrasse du château, Suzanne avait fait élever, sur un socle de marbre noir, une urne, vide, de marbre blanc légèrement veiné, ceinte d'un serpent qui se mord la queue: MONUMENT DE PIÉTÉ FILIALE ÉRIGÉ PAR LA BARONNE DE COPPET A SES VERTUEUX PARENTS PLUSIEURS ANNÉES APRÈS LEUR MORT. La stèle triomphale du grand-père de Benjamin, dans le chœur de la cathédrale de Lausanne, avait tout de même plus de style, et témoignait de moins d'orgueil. Quant au tombeau inaccessible qui, à Coppet, sur la colline du château, avait recueilli dans son alcool la dépouille de Suzanne et attendait celle de Necker, il marquait le respect religieux des volontés d'une mourante hypocondre, une confiance mesurée dans la promesse biblique de la résurrection des corps,

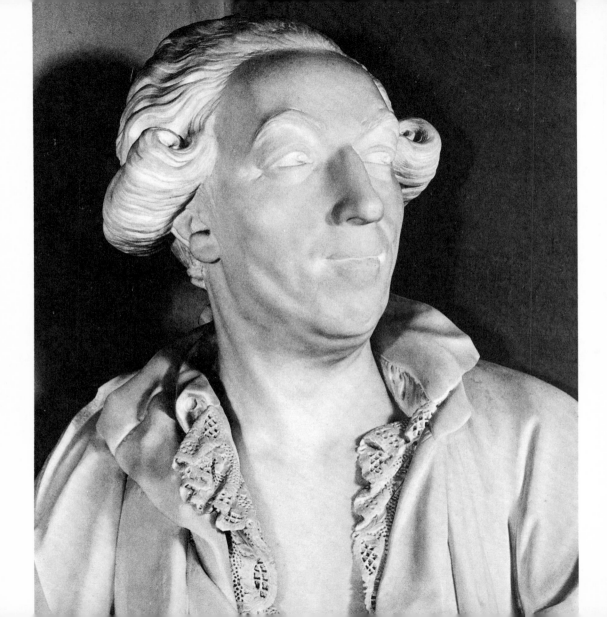

comme aussi, implicite, inaperçu même de ceux qui le formulaient, un refus, celui de la loi commune. Le trio Necker ne pouvait accepter que tout passe.

Et pourtant, plus encore que le décor un peu dégradé du Coppet de M. Necker, la vie même n'y était-elle pas un perpétuel rappel du temps qui fuit? Les repas, le dîner surtout, se passaient *au milieu d'une querelle permanente entre M. Necker et de vieux maîtres d'hôtel sourds et grondeurs, débris du régime que M. Necker avait enseveli, et qui avaient suivi sa fortune à Coppet avec leurs habits brodés. Cet intérieur,* indique encore Lullin de Châteauvieux, *avait des formes graves; on y voyait de la solennité, peu de mouvement et d'abord.* Agé de soixante-quatre ans, ayant perdu le pouvoir depuis six ans bientôt, le financier se souciait avant tout, en toutes circonstances, de tenir *le rôle d'un ancien ministre du roi.*

Mon père, disait Germaine, *veut sauver sa fortune, craint de compromettre sa réputation, me redoute, me consulte, se fâche, se radoucit, est incertain et glorieux, confiant et timide, m'offre enfin sans cesse un caractère dessiné dans les nuages.* Cela ne déplaisait point trop à la nouvelle dame de Coppet qui, pour souffler sur ces nuées, usait tour à tour de l'amour que le financier portait à sa Minette et du souci, fort légitime, qu'il avait de récupérer les deux millions de livres que, fait sans doute unique dans l'histoire de tous les ministres des Finances, il avait en 1778 spontanément, mais contre intérêt, prêtés au Trésor.

Son indécision légendaire et ses colères mises à part, c'était le meilleur père du monde. On nous le montre jouant avec sa fille. Le « wisk » de M. Necker commençait à sept heures. Il était orageux; M. Necker et sa fille s'accusaient, se fâchaient, se quittaient en jurant de ne plus jouer ensemble, et recommençaient le lendemain...

Si, en ce printemps 1796, Mme de Staël fait presque chaque mois de longs séjours à Lausanne, où elle loge hors de ville, à Ouchy *, et danse beaucoup, Constant qui s'y trouve entouré de nombreux rivaux s'échappe lui aussi. Où va-t-il? Sur les bords du lac de Neuchâtel, tout près de Colombier, puis à Colombier même. Tenta-t-il de s'y faire plaindre? Un mot sans réplique, plus sec qu'un adieu, lui arriva, à Coppet, de Mme de Charrière: *Vous vous êtes fait le sort que vous suivez.*

C'était comme un verdict. Et pendant des années les pages de l'admirable *Journal intime* n'en seront que l'exégèse.

Pour l'heure, il faut bien poser la question. Constant a-t-il toujours lieu de déplorer son sort? D'abord, dans une lettre à Ribbing de la mi-janvier, il se voit désigné pour la première fois par son seul prénom: *Benjamin retourne à Paris dans le mois de mars.* Et, six jours plus tard: *Vous voulez que je vous parle de Benj.?* (De Benjamin à Benj. y a-t-il progrès?) *C'est un homme d'un esprit très supérieur et il en est peu qui, comme société, conviennent autant à mes goûts de conversation et surtout de littérature. Voilà pour ses agréments; quant à ses qualités, il m'est dévoué comme, aux conditions que je lui impose, aucun homme sur la terre ne me le serait. Voilà tout. Du caractère et de la figure lui manquent absolument et je ne conçois pas l'amour sans l'un de ces avantages... L'esprit seul ne fait pas plus un mariage, un amour heureux, qu'un grand talent sur le forte piano.*

Un mariage, un amour heureux? Quel diable pousse donc Germaine à en parler, fût-ce pour en rejeter l'idée même? Ne serait-ce pas qu'à Lausanne et à Genève tout le monde en parle? Le bruit court en effet d'un mariage et de son nécessaire préalable, le divorce. La sage Albertine Necker, la cousine exemplaire que le sort a donnée à Germaine, ne peut attribuer le silence de Ribbing qu'à « Benj. », donc à ces bruits... La réplique de Germaine est émouvante: jamais Benjamin ne s'est offert à elle comme un rival pour Adolphe, il a un grand goût pour son meilleur talent, enfin — et c'est là que la confidence touche, qu'on voit Mme de Staël souffrir profondément de la condition féminine, découvrir même cent cinquante ans avant les Américaines du dernier bateau la femme mystifiée — Benjamin *partage ces occupations littéraires que je mets à la place du vide des heures des femmes.* Mais, pour elle, il est hors de la carrière de l'amour, du moins de celui qu'on inspire.

Pourquoi faut-il que, d'un même trait de plume, la femme qui vient, devançant de loin son siècle, de dénoncer le mal que la société lui fait comme à ses sœurs en les condamnant à l'oisiveté, se montre tout à coup déplorablement femelle, et lâche un ragot d'alcôve. Il est rare que, dans son immense correspondance qu'éclaire tant de générosité vraie, la fille de Necker use de procédés bas. On sursaute ici: elle confie à Ribbing, *malgré le dégoût d'un tel sujet* et sous le sceau du secret, que pour obtenir le divorce la femme de Constant a invoqué l'état déplorable de sa santé. Germaine et Ribbing savent ce que parler veut dire: le mal est honteux... Que souhaite donc Germaine? Lui faut-il vraiment recourir à cet argument-là pour jeter bas les soupçons de Ribbing? Ou bien veut-elle, en partageant avec lui un odieux secret, tenter encore de retenir le Suédois? On s'y perd.

Mais cette lettre, on le sait, sera la dernière. Et neuf jours plus tard exactement, le 19 mars 96, à un autre ami la même Germaine écrira: *Benjamin dont l'inépuisable bonté pour moi répand un vrai charme sur ma vie...*

Ce doux Benjamin-là compte retourner en France dans quinze jours ou trois semaines. Hors ses escapades lausannoises, Germaine n'aura plus pour durable compagnie, sur «ces plages désertes», que son père, les maîtres d'hôtel branlants et les espions français qui la surveillent de bien plus près encore qu'elle ne le croit. Elle sera seule, au milieu du vide des heures des femmes. Sa vie *flottera dans le vague.*

Est-ce alors que, désemparée par l'abandon de l'amant, minée par l'exil qui se prolonge, affolée par l'idée d'une autre séparation, replongée en somme dans le même drame tendre et déchirant où elle se trouvait deux ans plus tôt, au printemps 94, quittant Zurich avec Ribbing qui allait la quitter, est-ce alors qu'elle croit s'en libérer de la même manière, et cède à Benjamin?

Des mains qui se voulaient pieuses ont fait que la question demeure sans réponse, sinon de pure vraisemblance. Ainsi Constant, qui devait partir pour Paris dès les premiers jours d'avril, qui a obtenu son visa dès fin mars, s'attarde malgré sa croissante impatience d'ambitieux jusqu'au 18... Si bien que l'on peut, sans trop d'arbitraire, placer ici la fameuse apostrophe d'*Adolphe: Charme de l'amour...* Que si elle n'était pas à sa place, on s'en consolerait: même dans le roman, les critiques l'ont noté, c'est un morceau rapporté.

Charme de l'amour, qui pourrait vous peindre! Cette persuasion que nous avons trouvé l'être que la nature avait destiné pour nous, ce jour subit répandu sur la vie, et qui nous semble en expliquer le

Vue d'Ouchy, « prise près des campagnes dites
le Petit-Ouchy», dessiné d'après nature par Eugène Desvernois.

mystère, cette valeur inconnue attachée aux moindres circonstances, ces heures rapides, dont tous les détails échappent au souvenir par leur douceur même, et qui ne laissent dans notre âme qu'une longue trace de bonheur, cette gaieté folâtre qui se mêle quelquefois sans cause à un attendrissement habituel, tant de plaisir dans la présence, et dans l'absence tant d'espoir, ce détachement de tous les soins vulgaires, cette supériorité sur tout ce qui nous entoure, cette certitude que désormais le monde ne peut nous atteindre où nous vivons, cette intelligence mutuelle qui devine chaque pensée et qui répond à chaque émotion, charme de l'amour, qui vous éprouva ne saurait vous décrire!

Amants de fraîche date ou de plus longue date, les jeunes hôtes de Coppet — elle a trente ans tout juste, lui près de vingt-neuf — ne demeurent pas inactifs. *J'écris sur la passion et Benjamin sur la République.* Son pamphlet à lui est un programme: *De la force du gouvernement actuel de la France et de la nécessité de s'y rallier.* Le Directoire en fut si satisfait qu'il le fit tout entier imprimer au *Moniteur.*

Quant à l'auteur, il ne se trouvait pas depuis huit jours à Paris qu'il écrivait à sa tante Nassau: *Je n'ai plus ici ce qui m'intéressait par-dessus tout, et la maison où je passais ma vie...*

A Lausanne plutôt qu'à Coppet, bien qu'entourée d'une cour de brillants jeunes gens — jamais sa prétendue laideur ne les rebuta — Germaine n'oublie pas non plus Benjamin. En mai 1796, elle ne parle que de lui, elle en paraît très occupée. Et la cousine Rosalie, qui partage visiblement les préventions de la tribu Constant, compare la suite de la dame à une basse-cour où ne manque ni un renard affamé, ni un joli petit chat qui file...

A la mi-mai, l'ambassadrice apprend que le Directoire, qui depuis un mois la fait surveiller de manière plus étroite, l'a secrètement décrétée d'arrestation si elle venait à franchir la frontière. La police politique la soupçonnait de vouloir passer en fraude des papiers compromettants. Ces argousins, à ce qu'il semble, ignoraient tout des talents que

Germaine avait déployés à la tête de son réseau pendant la Terreur et croyaient la prendre sans mal dans leurs gros filets. Ils ne réussirent qu'à créer un assez beau scandale, l'ordre secret s'étant trouvé publié malgré eux! Rien n'égale d'ordinaire l'ineptie de ces agents à gages, sinon le peu d'esprit de ceux qui les emploient.

Mme de Staël s'indigne, mais peut-être n'est-elle pas fâchée d'avoir à passer à l'action. Et d'abord, elle passe le lac. (Entre Coppet et Genève, Versoix, toujours française, lui coupe la route des rives.) Elle grimpe le coteau de Cologny et s'annonce chez l'oncle Necker de Germagny*. A Cologny, Milton a séjourné. Les maisons de maîtres dominent l'étroite baie que fait le lac filant au couchant vers Genève. Genevoise, française et vaudoise, la rive septentrionale s'arque doucement sous le mur bleu du Jura. Mais Mme de Staël n'a pas plus de loisirs pour les lettres que d'yeux pour la vue. Elle dégringole vers Genève, toujours république libre, et un peu moins terroriste que devant. Ce n'est pas aux Genevois qu'elle en a, mais au résident de France, Desportes, personnage puissant et louche. Profitant de la surprise, elle lui assène un discours d'où il ressort que l'ouvrage de Constant si bien accueilli du Directoire a été écrit dans sa maison, sous ses yeux, avec son aide, qu'à ce titre elle ne peut être que bienvenue en France et qu'elle entend y rentrer sur-le-champ...

Le résident ne peut que se lancer dans des explications qui sont plus qu'un désaveu de l'ordre maladroitement publié: une vraie révocation. Desportes, moins sot que ses maîtres, parvint cependant à persuader la baronne de rester en Suisse quelque temps encore. Et Germaine rentre à Lausanne.

A Paris, Constant va travailler pour elle. Pour lui aussi, bien sûr. En le louant de sa brochure, le Directoire ne l'a-t-il pas qualifié d'étranger? Lui qui, par son père et par sa mère, descend de ces religionnaires protestants chassés de France que la Révolution a entendu réintégrer dans la nation? Le malheur est qu'avant de rencontrer Germaine, plongé dans la sinistre apathie que l'on sait, il n'a pas songé, au rebours de son père, Juste, à revendiquer à temps son droit incontestable. Il est maintenant forclos. Qu'à

Le château de Coppet, vu de la route de Genève, par J.A. Linck.

cela ne tienne! Benjamin passe le début de l'été à multiplier démarches et pétitions, sans vrai succès. Il ne récolte guère qu'un duel, avec un journaliste. Cela n'est pas pour l'effrayer. Ses ennemis d'alors, pas plus que ceux qu'il a toujours, n'ont jamais mis en doute son intrépidité.

Dans *Adolphe*, le héros, double de Benjamin, se battra aussi en duel. Ellénore, l'héroïne, en éprouve un indescriptible mélange *de trouble, de terreur, de reconnaissance et d'amour.* Chez Germaine, le trouble et la terreur l'emportèrent d'abord. De Coppet à

Lausanne, toute la rive en retentit. *Mon Dieu*, s'écrie la bonne Rosalie, *sur quel affreux théâtre son amie l'a jeté. Elle est au désespoir...* Rosalie, elle, en bonne Lausannoise, craint surtout le scandale, et Germaine, dont le nom est mêlé à l'affaire, pourrait bien se révéler aussi un peu lausannoise sur ce point, puisqu'un exprès de Coppet court toute la ville pour trouver le journal qui annonce le duel et sa cause. Mais Germaine craint bien autre chose encore... Nous n'avons pas une lettre d'amour d'elle à Benjamin. Celle que voici, adressée à Rosalie, peut par sa flamme en tenir lieu.

Dimanche soir (31 juillet 1796).

Malgré la sotte impertinence de ce journal, il me semble impossible que Benjamin s'abaisse à se battre avec tous ces journalistes. Charles a-t-il une opinion sur cela? (C'est le Chinois, frère de Rosalie, qui de Paris a lancé l'alarme.) *Que dit Charles, au nom de Dieu, que dit-il? Son opinion pourra tant influer sur celle de Benjamin. Dites-moi jusqu'aux moindres syllabes. Daignez ne vous pas coucher sans avoir vos lettres et m'écrire ce qu'elles contiennent; j'ai le droit de vous le demander.*

Il y a quarante-huit heures à présent que je tremble et pleure et meurs d'inquiétude. Si vous saviez ce qu'il est pour moi, quelle lettre encore j'ai reçue de lui, quel ange de sensibilité il est pour moi! C'est à lui que tient tout ce que j'ai de vie. Au nom du ciel ne me cachez rien! S'il était blessé! il lui serait si doux de me voir — mais non, il ne se sera pas battu. Ce serait absurde, presque dégradant pour un homme tel que lui, d'aller chercher tous ces journalistes dans la boue pour se battre avec eux, ne supposez vis-à-vis de personne qu'il ait pu se battre. — Gardez le secret de tout et de mon affreuse inquiétude qui pourrait, s'il le savait, l'animer encore. Songez que je donnerais la moitié de ma vie pour sortir d'inquiétude. Adieu, dites-moi tout; chaque mot est important. — J'avais envie d'aller à Lausanne vous parler, mais j'ai craint d'éveiller sur ce qui doit être si secret. Je passe d'un mouvement à l'autre sans pouvoir m'arrêter à rien.

Le duel fut arrêté et Constant se fit un ami de son adversaire. *Ce que j'ai souffert,* confie encore Germaine à la cousine, *est inexprimable. Ah! j'ai bien senti que de lui seul dépendait le sort de ma vie...*

De Paris, Montesquiou jugeait que la dame de Coppet était bien où elle était. *Sur votre petit théâtre, elle ne trouble rien même par son scandale. Vos vertus l'ont mise à sa place.* Ce n'était pas l'avis de Leurs Excellences de Berne! *Nous nous voyons forcés de recommander à Mme de Staël qui séjourne à Lausanne la plus grande circonspection dans ses actions, ses paroles et ses écrits.* Ses intrigues paraissent pourtant bien naïves. Elle fait des pétitions, pour Benjamin. Et puis elle publie. Son traité *Des passions* paraît à Lausanne. C'est, lourd d'échos douloureux, un procès autobiographique de ces passions. Le bonheur ne peut être que dans un libre détachement, la philosophie et les bonnes œuvres. *Je ne suis pas sûre*, avoue-t-elle pourtant, *d'avoir réussi dans la première épreuve de ma doctrine sur moi-même.*

Le 4 août 96, Benjamin, décidément indemne, arrive à Coppet. *C'est une de mes douces espérances que de passer cet été en Suisse*, avait-il écrit. On peut le croire, pour cette fois encore. Dans le château, à l'abri de l'éclatante lumière d'été, la vie reprend sa cadence.

On se réunissait pour déjeuner dans la chambre de Mme de Staël (on n'y buvait alors que du café). Ce déjeuner durait souvent deux heures: car, à peine réunis, Mme de Staël soulevait une question prise plus souvent dans le champ de la littérature ou dans la philosophie que dans celui de la politique, et cela par ménagement pour son père dont le rôle sur ce théâtre avait si malheureusement pris fin. Mais quel que fût le sujet du débat, il était abordé avec une mobilité d'imagination et une profondeur d'où jaillissait tout ce que l'esprit humain peut concevoir et créer.

Dans ces joutes, Germaine l'emportait sans grand-peine sur son père, mais sur le point de triompher elle se fourvoyait « avec une grâce d'esprit inimitable » afin de lui laisser la palme. Châteauvieux ajoute que M. Necker a été le seul auquel elle ait jamais accordé un tel avantage... Chacun ensuite se retirait jusqu'au dîner, puis le travail reprenait jusqu'à sept heures, pour faire place au jeu — le fameux « wisk » du financier — et à de nouveaux assauts d'éloquence.

Le couple se transporte à Lausanne, vers la mi-août. Cela nous vaut, par Rosalie, un portrait de son cousin le tondu, les cheveux hérissés, qui « font cuire les yeux ». Quant à « ma cousine de Staël », elle se tient fort mal. Ne laisse-t-elle pas Benjamin lui prendre

Le château de Coppet en 1791, aquarelle de Louis-Auguste Brun.

la nuque en public et l'appeler « bonne petite chatte » ? Ne dit-elle pas, avec ses compères, le plus grand mal du pays qu'ils regardent comme le théâtre de l'ennui et de la nullité ?

Le décor aurait dû pourtant leur inspirer quelque indulgence. Germaine séjournait chez sa cousine Albertine, au-dessus d'Ouchy, port de Lausanne *. Très animé, relié à la ville par des caravanes d'ânes, dominé par une vieille tour étroite et haute, à demi ruinée au surplus, Ouchy n'était peut-être que pittoresque. Le cirque des montagnes atteint au contraire à une grandeur, à une saisissante harmonie. Ce lac-là, pris entre les montagnes, diffère tout à fait de celui de Coppet, de Nyon, même de Rolle. C'est vraiment cette fois le lac de la *Nouvelle Héloïse*, rencontre et contraste unique de pentes, terres suspendues, roches, neige et glace même, dressées ou tombant d'une hauteur, avec une énergie inouïes, et d'un plan d'eau si vaste, si bien ouvert à la lumière, si largement prolongé par la fuite de la vallée du Rhône que, d'Ouchy, toute dureté, tout tragique même disparaît. Ne règnent ici que le calme, la puissance et l'ordre, tout ce qu'un seul mot peut rendre et que l'éclat du soleil justifie : la majesté.

C'est devenu un lieu commun. Germaine ni Benjamin ne sentent la nature, ne l'aiment vraiment, ne savent la peindre. *J'ai une telle paresse et une si grande absence de curiosité que je n'ai jamais de moi-même été voir ni un monument, ni une contrée, ni un homme célèbre*, dit-il. Et elle : *si ce n'était pas le respect humain, je n'ouvrirais pas ma fenêtre pour voir la baie de Naples pour la première fois!* Pourquoi l'auraient-ils ouverte sur le Léman ?

Mme de Staël n'est pourtant insensible ni à ce que précisément cette année-là elle nomme *notre beau pays de Vaud*, ni aux montagnes — *toutes les hautes montagnes nous rapprochent du ciel, semblent nous élever au-dessus de la vie terrestre* — ni au lac, ces *beautés des ondes et de la verdure*, dont elle sent si bien la douce influence qu'elle s'y recommandera un jour comme à des puissances tutélaires, au moment de quitter Coppet.

Le lieu commun est abusif. Faut-il rappeler que c'est à Ouchy précisément que, par les yeux de sa Delphine, Germaine aura la révélation des vagues, de leur puissance magique, qui fascine et ressemble par là « au regard du serpent qui attire en effrayant ».

Je suis descendue vers le lac; un vent impétueux l'agitait, les vagues avançaient vers le bord, comme une puissance ennemie; j'aimais cette fureur de la nature qui semblait dirigée contre l'homme.

Pour Germaine aussi, et à Ouchy même, le temps des orages viendra. Imaginons-la pour l'heure, sous les grands arbres, sur le chemin de halage — qui a fait place aujourd'hui à un quai fameux — regardant les lignes d'assaut que la vaudaire, vent traître, presse vers la rive. *La vague qui s'élève de loin, et se grossit par degré, et se hâte, en approchant du rivage semble correspondre avec un désir secret du cœur qui commence doucement et devient irrésistible.*

D'ailleurs, ignorante de ce qui l'attend, ne parle-t-elle pas de tempête, cet été-là déjà ? *Des orages dans les tombeaux! C'est trop cruel; au lieu de l'intérêt dans le calme, c'est l'agitation dans le vide.* Il ne s'agit pourtant que de menues chicanes policières des autorités bernoises, qui vont la traiter en émigrée, de quelques piques de salon aussi. Mme de Staël ne tolère-t-elle pas de suspectes plaisanteries sur l'ambassadeur de Suède ? Enfin, et c'est bien le pis, ne parle-t-elle pas de Benjamin sans se gêner : *l'homme du monde que j'aime le mieux, l'homme auquel je tiens par tout ce qui me reste de vie*, sans se douter le moins du monde du scandale ?

L'ambassadeur qu'on moque a d'ailleurs fait surface. Plutôt lamentable : *Il a l'air abattu, craintif et accablé*, surtout lorsque Germaine parle devant lui de *son adoration pour Benjamin, à qui elle a voué sa vie;* il va prendre les eaux d'Aix, mais quels bains pourraient guérir son mal ? Il n'a jamais eu que des dettes et voici que son ingrat souverain le met à pied, le privant de ce qui peut lui rester de crédit. Pour lui, c'est la ruine. Pour l'ambassadrice, la perte des privilèges sur lesquels elle comptait pour rentrer à Paris. (Elle n'en reçoit pas moins Eric à Coppet, dans les premiers jours de septembre — *Il est très mal pour moi* — puis encore en octobre.) Et pour Benjamin, c'en est fini de filer le parfait amour sur la petite scène lausannoise. (Si publiquement que Juste, son père, réintégré dans le service batave avec le grade de général, et resurgi à Lausanne, refuse de les recevoir.) Toutes les chances de Germaine de rentrer à Paris reposent désormais sur Constant. Il est donc autorisé par elle, dans les premiers jours d'octobre 1796, à s'y rendre.

Il réussira dans sa mission. A son retour en Suisse, le 16 décembre, il apporte la grâce de Mme de Staël. Il rapporte aussi, et le fait est bien digne de remarque, les titres de propriété d'une nouvelle terre, Hérivaux, une ancienne abbaye.

Si Germaine, depuis quelques mois, traite les Constant en belle-famille, on ne peut guère douter que Necker traite Benjamin en gendre au moins éventuel : il lui prête 34 000 francs pour l'achat et l'aménagement de l'abbaye. Le 25 décembre, Germaine et Benjamin traversent furtivement Paris. Janvier 1797 les voit ensemble, tous deux à Hérivaux. Et M. Necker retrouve son humour triste : il croit sa fille fort mal, il croit le lieu trop écarté, il croit qu'on n'aime point dans l'endroit cette succession de deux protestants plus ou moins scandaleux à des ecclésiastiques, enfin il déteste *cet aparté. Mais où ne serait-il pas ?*

En Suisse, comme à Paris, le bruit du prochain divorce de l'ambassadrice a recommencé à courir dès l'automne. Elle dément. Puis disparaît, comme on sait. Et voici que court une bien autre rumeur: la fausse abbesse d'Hérivaux attend famille.

Quoi qu'il en eût, du coup, oublié complètement qu'il avait été académicien pour n'user que du langage le plus militaire, il faut bien une fois encore recourir au témoin Montesquiou, en biffant ses plus rudes plaisanteries. *J'ai appris en même temps la grossesse de la dame et la violence conjugale qui a produit cet heureux effet et à laquelle elle n'a opposé que la réunion de ses mains sur ses yeux...* Et le général récidive. *Convenez qu'il est bien agréable d'être le mari d'une femme qui se croit obligée d'apprendre à tout le monde comment il lui arrive de faire un enfant lorsque c'est son mari qui s'en avise.*

Germaine n'a sans doute jamais hésité à clamer à travers les salons ses déconvenues et ses malheurs. Elle a pris le monde à témoin des trahisons, surtout intimes, que le sort lui infligeait. Mais, elle qui répugnait à simplement parler de nourriture, on imagine mal qu'elle se soit lâchée à aborder un sujet à ses yeux cent fois plus bas encore. Même dans sa correspondance la plus privée, les aveux se voilent de très anodins euphémismes. Pourtant l'indiscrétion et le témoignage restent irrécusables; nous savons même que ce fut le pieux Mathieu qui se chargea de répandre ces confidences impudiques. On ne voit donc guère qu'un motif à cette conduite si contraire à tout ce que rêvait d'incarner la sœur de Delphine et de Corinne, ces êtres immarcescibles: ne fallait-il pas, au prix même des bienséances, sauver l'honneur? L'incongruité de la confidence ne devait-elle pas accréditer quelque affirmation plus invraisemblable encore? De fait, le stratège, le roué Montesquiou lui-même ne songea pas un instant à mettre en doute, dans le récit qu'il colportait, le rôle du mari revendiquant son droit...

Albertine de Staël naquit à Paris, à l'ambassade de Suède, le 8 juin 1797. L'approche de l'heureux événement avait adouci le décret qui retenait sa mère dans l'ennui d'Hérivaux. M. de Staël montra peu de sentiment, mais de l'intérêt. Mathieu jouait les berceuses. Nul n'a noté ce que fit Benjamin.

Albertine de Staël,
duchesse de Broglie,
miniature de
Louis Arlaud, 1827.

Cette mauvaise langue de Barras devait publier un jour que par la ressemblance des traits, des cheveux, de tout enfin, Albertine se montra au monde comme la frappante image de M. Benjamin Constant. Il ne fut point seul à le dire, ni à en être persuadé. Tout donne à penser que Constant le crut le tout premier, et le crut parce que Germaine le lui avait affirmé. Alors la petite phrase terrible de *Cécile* prend tout son sens: *Mes liens avec Mᵐᵉ de Staël * s'étaient resserrés, sans nous rendre heureux.*

Entrée triomphale du génér
Bonaparte à Lausanne,
23 novembre 1797 (litho de H. Jenny

Dans ses affaires, Benjamin n'était pas beaucoup plus heureux. Au printemps, il avait publié une nouvelle brochure *Des réactions politiques*. — *Il est impossible*, proclame-t-il, *d'être plus français que je ne le suis*. Les Cinq-Cents, ses électeurs de Luzarches, le Directoire enfin ont grand-peine à admettre cette impossibilité-là. On ne lui accorde ni le secrétariat des Affaires étrangères, ni le secrétariat à la Propagande de l'armée d'Italie, tout juste l'administration de sa commune.

Entre-temps, l'homme du destin était rentré en scène. Ce fut le 18 fructidor. Toute l'année 97, Germaine et Benjamin avaient lutté contre la réaction triomphante, le prétendu parti de l'ordre, qui exerçait une nouvelle terreur. Le 4 septembre, les troupes envoyées d'Italie par Bonaparte permirent l'éviction, souvent suivie de la déportation, de quelque deux cents députés, royalistes ou ralliés. La liberté, la « république sage » qu'avaient menacées l'anarchie et la tyrannie étaient sauvées. Du moins les deux amants le crurent-ils. Avaient-ils contribué au coup de force? Selon Talleyrand, *Mme de Staël a fait le 18 fructidor, mais pas le 19*. Loin de participer aux proscriptions, elle s'était une fois de plus ingéniée à sauver des têtes, avec grand succès. Benjamin, qui n'y participa pas non plus, se contenta dans un médiocre discours de déplorer « quelques malheurs individuels ». Ses malheurs à lui se bornèrent à une visite domiciliaire. Et, pour elle, à une nouvelle menace d'éloignement.

Vers ce temps-là les bords du Léman eurent un hôte, fugitif du reste, mais alors bien plus glorieux que les amants de Coppet: le général Bonaparte lui-même. Coppet du reste faillit le recevoir. M. Necker et des députés bernois s'étaient flattés de « l'arrêter par les charmes de leur éloquence ». Ils en furent pour leurs frais... C'est qu'il était fort question du Pays de Vaud à Paris, à l'automne de 1797. Un voisin du baron de Coppet, puisqu'il était natif de Rolle, F. C. de La Harpe, avait proposé au Directoire de chasser Leurs Excellences de Berne des bords du Léman. Paris hésitait. Berne envoya une mission, vaine. A en croire les feuilles parisiennes, pour tout honneur, les députés bernois rendirent leurs devoirs *à l'aimable et spirituelle héritière du baron de Coppet* — toujours elle! — *propriétaire de*

seigneuries considérables dans le Pays de Vaud et, à ce titre, très intéressé à la conservation des droits féodaux qui font le bonheur de l'espèce humaine.

Benjamin Constant, le fils de Juste le « représentant », le révolté d'hier qui provoquait les officiers bernois en leur promettant de bouter hors les ours à la première occasion, fut à Paris, selon leurs propres dires, bon pour les députés de Berne. Il n'entendait pas entrer dans les projets de La Harpe. Il n'y entra pas, et ne s'en cacha jamais. *Je me suis bien gardé de révolutionner la Suisse*, déclare tranquillement le *Cahier rouge*. Parce que, comme il le dit encore, il avait été témoin d'une autre révolution, la française ? Qu'il doutait désormais de pouvoir fonder la liberté sur la justice ? Pour nous, cette indifférence vient d'abord de ce qu'il avait choisi son théâtre. Ses affaires étaient celles de France, de la liberté en France, non plus celles de son pays natal. *Si Bonaparte a fait trembler Rome*, avait-il dit aux républicains du club qu'il avait fondé, *c'est que Voltaire a précédé Bonaparte*. Tout au plus gardait-il assez d'attachement à son pays natal pour ne pas souhaiter que Bonaparte, avec ses troupes, y suivît aussi Voltaire...

Germaine au contraire s'employa à empêcher l'invasion. Bonaparte, qui guignait l'or de Berne et la route d'Italie, s'y était résolu. La baronne s'adressa donc au général, invoquant la liberté de fait des Vaudois et... la beauté de l'Helvétie! A quoi le futur empereur répondit qu'il fallait aux hommes, donc aux Vaudois et aux Suisses, des droits politiques. C'était l'échec, mais aux yeux des révolutionnaires vaudois cette démarche avait retardé la libération: *Je voudrais*, écrivit La Harpe, *que le feu commençât par leur château de Coppet, car c'est une infernale gueuse.*

Le feu ne prit pas à Coppet. Quand les Français y arrivèrent, les Vaudois avaient déjà fait leur révolution, mettant sans coup férir les baillis à la porte, et — peut-être contrainte, car il semble bien qu'elle ait alors reçu l'ordre de sortir de France dans les trois jours — Mme de Staël avait précédé les troupes qui envahissaient la vieille Confédération.

Lorsque l'entrée des Français fut positivement annoncée, nous restâmes seuls, mon père et moi, dans le château de Coppet, avec mes enfants en bas âge. Le jour marqué pour la violation du territoire suisse, mon père et moi, qui attendions ensemble notre sort, nous nous plaçâmes sur un balcon, d'où l'on voyait le grand chemin par lequel les troupes devaient arriver. Quoique ce fût au milieu de l'hiver — 27 janvier 1798 — *le temps était superbe; les Alpes se réfléchissaient dans le lac, et le bruit du tambour troublait seul le calme de la scène. Mon cœur battait cruellement par la crainte de ce qui pouvait menacer mon père.* Lorsque les premières troupes apparurent, un officier s'en détacha et piqua vers le château... C'était un geste de déférence. Les Français furent corrects. Suchet, le futur maréchal, qui se présentait ainsi au château, y revint avec son état-major.

Un autre soir, Germaine entendit ou crut entendre le canon. Berne allait tomber. *Dans le silence de la fin du jour, les coups de canon retentissaient au loin à travers les échos des montagnes. On osait à peine respirer pour mieux distinguer ce bruit funeste. On espérait encore un miracle en faveur de la justice...* Berne tomba le 5 mars.

Benjamin, lui, était resté à Paris.

IX

Lorsque, vers la fin de juin 1798, Mme de Staël repart pour Paris, où l'attend Benjamin, pour St-Ouen plutôt, dont la prudence et le Directoire lui conseillent le séjour, elle emporte un assez volumineux mémoire. Signé Necker. L'ancien ministre y affirme avec éclat sa qualité de Genevois. Le 15 avril, alors qu'à Lausanne une Rosalie de Constant venait de constater que jamais une révolution n'avait été si douce, les troupes françaises étaient entrées à Genève. Le Pays de Vaud allait désormais suivre le sort de la République helvétique ; Genève, elle, était réunie à la française.

Si Necker était incontestablement Genevois, Germaine ne l'était-elle pas plus qu'à moitié ? L'exil aidant, n'allait-elle pas le redevenir tout à fait ? Constant lui-même lui en donnait l'exemple : après Necker, il n'y avait pas, à l'entendre, plus genevois que lui. Paris ne lui avait pas réussi. Il n'était pas parvenu à se faire élire aux Cinq-Cents, malgré une triple candidature et *toutes les sottises qu'il est possible de faire*. Des sottises et des dettes : ruiné, il avait une fois de plus tout joué et perdu. *Son amie est très en peine et doit bien se repentir*, notait Rosalie, *de l'avoir placé sur le volcan...*

C'était mal connaître la « trop célèbre ». *Mon souverain légitime est de retour*, écrit Benjamin, de St-Ouen. *L'illustre Dulcinée se plaint beaucoup*, écrit Montesquiou, de Paris. Sans doute y avait-elle quelque motif, et qui ne tenait point à la politique. Le Benjamin qu'elle retrouve est celui qui vient d'écrire à sa confidente lausannoise, Mme de Nassau, la seule des sœurs de sa mère avec laquelle il s'entendît, que depuis une année déjà * il songe à rompre. Bien sûr, Germaine doit tout ignorer de ces velléités. Il semble pourtant qu'en ce début d'été, entre Germaine et Benjamin, quelque chose se brise, un lien auquel ni l'un, ni l'autre n'attachait plus un prix très grand, dont peut-être ils étaient même l'un et l'autre las déjà. Lorsqu'ils regagneront la Suisse à l'automne, lorsqu'ils s'installeront à Genève au début de 1799, ils seront encore des amis, ces deux complices qui avaient pris ensemble la route de Paris au printemps de 1795. Tout porte à croire que ce ne seront plus des amants. Ou, du moins, plus pour longtemps.

Bien entendu, c'est contrainte une fois de plus que Mme de Staël a quitté non pas la France — car il lui suffit précisément désormais de gagner Genève pour se trouver en territoire français — mais les environs de la capitale. Pour la première fois depuis long-temps, elle fait à Genève un assez long séjour. Qu'y cherche-t-elle ? Des amis d'abord.

La cité brochurière avait payé cher le goût qu'elle avait pris des idées, puis des expériences politiques. Rousseau aidant, mais Rousseau pas plus qu'un Necker après lui n'était un phénomène isolé, elle était devenue sur le continent un séminaire politique, comme aussi un laboratoire où les explosions n'étaient pas rares. Car, sans jamais y renoncer, les Genevois n'en étaient pas restés — on l'a vu — aux brochures. De 1707 à 1798, les troubles paraissent souvent ne pas vouloir cesser. Délivrés, à ce qu'ils croient, des périls extérieurs auxquels ils avaient su si courageusement faire face aux siècles précédents, les Genevois se disputent et, souvent, se battent. (Se battent, c'est le cas de le dire, dans le sens de l'histoire, car la grande querelle de Genève au XVIIIe est celle que mènent contre l'oligarchie, contre les aristocrates prodigieusement enrichis par le commerce et la banque, les « représentants » qui exigent au nom de bourgeois généralement fort aisés, eux aussi, la suppression des privilèges et revendiquent des droits qu'on peut dire, déjà, démo-cratiques.) Des enragés, dit Louis XVI. *On ne se donnait parole pour un souper*, note un agi-tateur du temps, *que sauf une prise d'armes...*

Il ne faut pas oublier cependant que si le patriciat genevois manqua de sens et de prescience politique, il administra la cité et ses affaires de très admirable manière. Les coups de force, les interventions étrangères même n'étaient que des épisodes. Bien plus,

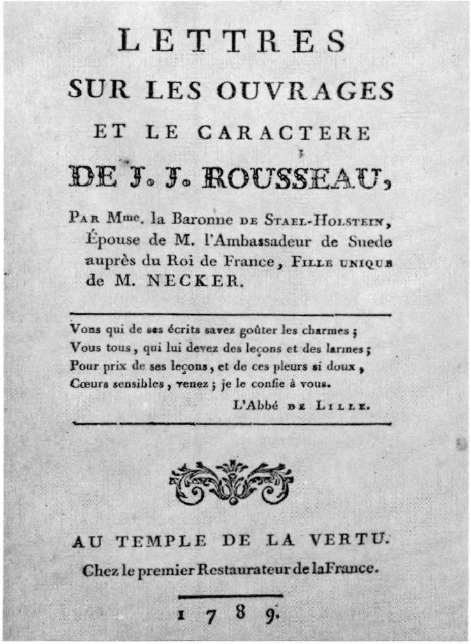

LETTRES
SUR LES OUVRAGES
ET LE CARACTERE
DE J. J. ROUSSEAU,

PAR Mme. la Baronne DE STAEL-HOLSTEIN,
Épouse de M. l'Ambassadeur de Suede
auprès du Roi de France, FILLE UNIQUE
de M. NECKER.

Vous qui de ses écrits savez goûter les charmes ;
Vous tous, qui lui devez des leçons et des larmes ;
Pour prix de ses leçons, et de ces pleurs si doux,
Cœurs sensibles, venez ; je le confie à vous.

L'Abbé DE LILLE.

AU TEMPLE DE LA VERTU.
Chez le premier Restaurateur de la France.

1789.

Le premier ouvrage de Mme de Staël, consacré au citoyen de Genève. L'énoncé des titres de l'auteur est aussi remarquable que les indications relatives à l'éditeur : c'est l'adresse de M. Necker.

ce siècle ne fut pas seulement pour Genève celui de la richesse, mais celui des sciences. Si elle ne peut tout de même passer pour la capitale de l'Europe savante, elle en est alors assurément l'un des plus actifs, des principaux chefs-lieux. *Genève, par sa situation, semble faite pour inspirer le goût de l'histoire naturelle*, affirme H. B. de Saussure, le vainqueur du mont Blanc. Les découvertes, les inventions, les conquêtes — la plus significative, mais non la plus décisive étant précisément celle du mont Blanc — se succèdent. Dans certaines familles, la science paraît alors héréditaire. Elle passe, comme la fortune, de père en fils (en fille, aurait dit Germaine) et suscite des dynasties.

Je crois que je me livrerai à la botanique ou à quelque science de fait, avait un jour lancé Benjamin. Il était bien trop « homme de Lausanne » pour s'en tenir à un tel projet. Les « hommes de Genève », eux, y excellaient. Mme de Staël, on s'en souvient, les mettait très haut, pour ce génie-là en particulier.

« Conférence de
Mᵐᵉ de Staël »,
gouache attribuée à
Debucourt.

Elle qui comprend tout — sa seule faiblesse en ce domaine consistant à ne pas admettre qu'il puisse se trouver quelque chose pour passer son entendement — leur rend le plus bel hommage : elle leur demande « des idées et des faits ». Le compliment a d'autant plus de poids que Germaine, malgré toute l'ampleur et la vigueur de son esprit, était plutôt du côté Constant, du côté de Lausanne : elle aimait la morale, la politique, et par-dessus tout la littérature, non pas malgré, mais bien pour ce vague qu'il arriva à Benjamin de dénoncer en elles.

La Révolution avait valu à l'ambassadrice de trouver ses amis, les hommes de Genève, éparpillés sur la rive vaudoise du lac. La fin de la Terreur, la réunion à la France avaient rendu à la ville du bout du lac ses fils les plus en vue. Mais Mme de Staël ne fit-elle, en s'y installant dans les appartements de son père, que les suivre ? Elle avait affirmé naguère : *la République de Genève est à mes ordres.* Il n'y a plus de République de Genève. Aux Genevois, dont elle comprend mal le désarroi devant le naufrage de leur indépendance, elle va demander une très grande faveur. Pour Benjamin.

Constant se proclame Genevois, non sans quelque droit, puisque son aïeul fuyant la France s'était établi dans la cité réformée ; il le fait afin d'être désormais tenu par suite de la réunion, comme tous les autres Genevois et sans contestation possible, pour Français. Bien plus, pourquoi Genève ne lui permettrait-elle pas cette carrière politique qu'il a si mal engagée à Paris ? Pourquoi ne représenterait-il pas son département, le Léman, aux Cinq-Cents ? Germaine s'affaire donc, elle écrit, elle se fait agent électoral. L'opération échoue, de par l'opposition de Paris. Mais à Genève Mme de Staël et Constant « avaient gagné les esprits ». Comme c'est Mme de Charrière qui le constate, et qu'elle n'a pas désarmé, on peut l'en croire.

L'ambassadrice regagne Coppet où *la solitude environnante se confond avec celle de l'âme.* Puis se rend à St-Ouen, dès le printemps 1799. Benjamin l'y a précédée, d'assez longue date. N'ayant pu représenter Genève à Paris, pourquoi ne représenterait-il pas, en qualité de commissaire, Paris à Genève ? Il y échoue encore, et c'est peut-être au mouvement qu'elle s'est donné en sa faveur que Mme de Staël doit de se voir une fois de plus invitée à quitter les portes de la capitale.

C'est l'été. En juillet l'exil de Coppet est moins dur. Il ressemble, dirions-nous en notre langage, à des vacances... Elles furent longues, mais prirent brusquement fin à la veille de l'hiver. Germaine quitta le château de son père avec précipitation, pour arriver dans les faubourgs de Paris, où Benjamin l'attendait, au soir du 9 novembre. Dans l'histoire, le 9 novembre 1799 s'appelle le 18 Brumaire.

Germaine applaudit au coup d'Etat de Bonaparte. Elle avait cette année-là un buste du héros dans le salon de Coppet. Huit mois plus tard, elle l'appellera encore *le meilleur républicain de France*. On ne peut douter qu'elle ait rêvé de tenir auprès de celui qu'elle entreprendrait de dénoncer un jour, avec quel succès! comme un tyran, le rôle d'Egérie. Elle ne devait jamais comprendre pourquoi le futur empereur avait, non sans brusquerie, repoussé ses avances, ses conseils, sa glorieuse amitié; Necker, lui, dira: son amour malheureux.

Un pamphlétaire posa un jour, au milieu de belles injures, une question particulièrement pertinente à Mme de Staël: *De qui,* lui demandait-il, *tenez-vous la mission que vous exercez parmi nous?* Benjamin a donné la meilleure réponse, dans son *Journal intime: Si elle avait su se gouverner elle-même, elle aurait gouverné le monde.* Bonaparte ne se trompait guère quand il classait la baronne et son ami parmi les idéologues qu'il détestait. Il s'égarait complètement quand il ne voyait en elle qu'une femme bel esprit, une faiseuse de sentiments. D'abord, elle éprouvait d'instinct le besoin d'être bien avec le pouvoir. Sachant de plus qu'il était interdit aux femmes de l'exercer, elle visait à le tenir sous son influence. Elle tendait à exercer une sorte de magistère, de suzeraineté intellectuelle et morale. Quand Constant écrivait « mon souverain légitime », il allait plus loin et touchait plus juste qu'il ne le croyait lui-même. *Je n'ai jamais vu une femme qui eût une exigence plus continuelle... Toute l'existence et toutes les heures, les minutes et les années doivent être à sa disposition...* Une sultane, a dit Henri Heine. Avant d'accéder, face au tyran Napoléon, à ce sultanat

Mme de Staël par Firmin Massot:
portrait fait au printemps 1812, avant
son départ pour la Russie.

de l'esprit, Germaine, sans s'en apercevoir, imposait à ceux qui cédaient à son charme
quelque chose qui ressemblait fort aussi à une tyrannie.

Constant fut sur le point de s'en bien trouver. Il n'abdiquait pas son rêve de 1795,
être à la tête d'un parti, mais se montrait tout prêt à se contenter d'une place. (L'homme
secret qui écrira: *Servons la bonne cause et servons-nous*, cet homme n'est pas apparu tout
d'un coup en 1814.) Il avait d'autant plus besoin d'une place que ses finances res-
taient branlantes.

Il la trouva, avec l'aide de Mme de Staël. Le 24 décembre 1799, « Benjamin Constant, du Léman » — il faut entendre du département français dont Genève réunie n'était plus que la préfecture —, « homme de lettres », était nommé tribun du peuple. Du coup Benjamin se voyait assurer la nationalité française, l'aisance et une tribune. Le succès avait pu tarder, s'amenuiser aussi: il était là. Et Germaine pouvait triompher avec le nouveau parlementaire.

Elle préparait un grand dîner pour le soir de sa première intervention fixée au 5 janvier. Le 4, on apprit que Bonaparte avait vivement réagi au discours d'un tribun qui avait manifesté quelque intention d'opposition: Napoléon perçait sous le général. Le texte de Benjamin était prêt, Germaine le connaissait: c'était une critique impitoyable du trompe-l'œil législatif voulu par Bonaparte: *Quel fantôme de discussion! quel simulacre d'examen!* On enlevait au peuple ses derniers organes. On allait faire du Parlement *une chimère et la risée de l'Europe.* Sur l'accueil que le Premier Consul ferait à ces remarques, il n'y avait pas l'ombre d'un doute. Et voici pour la mondaine officieuse, voici pour l'ambitieux féroce la minute de vérité. — *Si je parle demain*, glisse le parlementaire à la baronne, *votre maison sera déserte.* Et Mme de Staël de répondre: *Il faut suivre sa conviction.*

Constant parla. Son discours fut d'un maître. L'assemblée se garda de suivre l'orateur, Bonaparte se fâcha. Ce Constant était un homme qui voulait tout brouiller. La presse déjà aux ordres vitupéra. L'opinion, hostile à tout ce qui pouvait troubler sa quiétude retrouvée, condamna l'importun. Et le dîner de Mme de Staël fut tragique, s'il eut simplement lieu: les convives s'étaient récusés par poignées...

Germaine était seule. Benjamin était seul. Amants désunis, anciens amants — sauf aux yeux du monde — se doutèrent-ils qu'ils avaient eu un moment d'héroïsme, qu'ils venaient de donner, ensemble, leur vraie mesure, jouant l'un et l'autre ce qu'ils avaient de plus précieux parce qu'il faut « suivre sa conviction »? C'est la gloire, Germaine allait l'apprendre, qui est le deuil éclatant du bonheur. La grandeur, dans l'ordre civique, n'en a même pas l'éclat.

La colère du Premier Consul tomba sur Mme de Staël. Il tint Germaine pour responsable des discours de Benjamin (qui continuait). Germaine dès janvier dut quitter Paris, où la société déjà domestiquée l'avait frappée d'ostracisme, pour St-Ouen.

Un bon ouvrage ne pourrait-il la sauver? Elle le croit (elle gardera toujours cette confiance naïve, entière dans l'imprimerie). Elle publie en avril *De la littérature, considérée dans ses rapports avec les institutions sociales*, le premier de ses livres qui vraiment fasse date. En vain. Le 7 mai 1800, elle se résigne à partir pour Coppet. Les discours de Benjamin — qui tarda beaucoup à la suivre — l'avaient ramenée sur les bords du Léman.

Pendant que, de loin, mais d'efficace manière, Constant s'occupe des intérêts de Genève, Bonaparte s'y rend en personne. (Benjamin tremble: si le Premier Consul allait flairer la supercherie de sa naturalisation genevoise? Mais la société de Genève joue le jeu de Benjamin.) C'est son père lui-même que, de Coppet, Mme de Staël délègue à Genève auprès du général. L'ancien ministre — un lourd régent de collège, dira le Corse — intercède pour sa fille, longuement. Tout va bien encore: Bonaparte est clément, Mme de Staël pour peu qu'elle se conduise bien pourra rentrer à Paris. Du coup, Coppet ce n'est plus l'exil, ce sont encore des vacances...

Et pourtant... En 1801, qui se passa encore pour elle comme 1800: un trop bref hiver à Paris, un trop long été à Coppet, de début mai à fin novembre, elle trouva ce mot inimitable, cet aveu où l'on devine ce que Benjamin entendait par son esprit d'enfance: *Je ne me plais pas beaucoup ici, le bonheur excepté.*

Etait-ce donc si peu que ce bonheur, que la présence d'un père vénéré, de ces enfants dont elle reprenait l'éducation, de Benjamin — il venait en août — dont elle obtenait les marques extérieures d'une sentimentale soumission, que ces amicales évasions à Lausanne et à Genève?

Las! Ce bonheur était à l'image du doux pays de Coppet. Il n'est point sans horizon, mais le croissant du lac s'y effile. La rive savoyarde est toute proche. Une montagne à chèvres escamote la majesté du mont Blanc. Au levant, derrière la pointe d'Yvoire, on

devine Lausanne prise entre les gradins innombrables des murs de vignes. Au couchant, vers Genève, la coupure est plus proche, plus nette, avec le bastion du Salève. En face, presque, s'ouvre une vallée. Monde qui n'est clos qu'à demi, car l'impatiente en connaît bien les brèches, belle arène aux lignes bleues, émoussées par la succession des âges, la distance et le tremblement de l'air dans la chaleur. Ce bonheur ne peut que lui plaire, sans plus. Elle en avait rêvé un autre.

Alors, persuadée qu'elle se trouve seule dans cette arène, elle va tenter de vivre cet autre bonheur, en l'écrivant. Ou plutôt d'expliquer pourquoi elle ne l'a pas vécu. Ce sera *Delphine*, roman-plaidoyer et roman-manifeste. Pendant ce temps, à Marengo, Bonaparte a assis son pouvoir sur la base qu'il pense sûre, une cascade de victoires.

Constant, quand il quitte Genève avant même l'automne, tente une bien autre évasion que Germaine. Ses vacances à lui commencent quand il quitte la dame de Coppet. Il n'écrira pas de roman, il va en vivre un à Paris, avec l'impétuosité, la frénésie qu'il avait mises, à Mézery, à la conquête de l'ambassadrice. Ce sera l'épisode Lindsay, Anna Lindsay, la « dernière des Ninons », fille de peu, tombée à rien, qu'une noblesse d'âme et d'esprit peu ordinaire avait hissée jusqu'aux marges de la société parisienne. Figure touchante infiniment, mais dont on n'aurait guère de raison de parler ici, si les lettres que Benjamin lui adressa ne donnaient une idée de celles, perdues, qu'il envoyait naguère à Germaine, si surtout Anna Lindsay n'avait pas prêté sa silhouette et son destin à Ellénore, l'héroïne du roman que Benjamin devait écrire en songeant à Germaine.

Je vous aime comme un insensé... Vous avez saisi, enlacé, dévoré mon existence: vous êtes l'unique pensée, l'unique sensation, l'unique souffle qui m'anime encore.

Je suis bien aise de vous avoir connue. Je suis heureux d'avoir, à n'importe quel prix, rencontré une femme telle que je l'avais imaginée, telle que j'avais renoncé à la trouver, et sans laquelle j'errais dans ce vaste monde, solitaire, découragé, trompant sans le vouloir des êtres crédules, et m'étourdissant avec effort.

Je vous aimerai toujours...

Dans le roman vécu d'Anna Lindsay, Germaine ne fit qu'un passage, mais ravageur. En décembre 1800, de retour à Paris, elle intima à Benjamin, non point de rompre avec l'autre, mais de reprendre place, publiquement, à ses côtés. *Je sais par cœur mon avenir*, avait déclaré Constant à Mme Lindsay. Il suffit à Germaine de paraître pour que Benjamin sût quel était en effet son avenir et qu'il ne lui échapperait pas.

Il reprit sa place auprès de *la belle dame arrivée de Genève*, prisonnier doublement, mais une fois de plus Mme de Staël paya très cher l'allégeance publique qu'elle avait obtenue si facilement de son ami. Bonaparte demandait des tribunaux spéciaux. Constant démonta pièce par pièce ce funeste projet qui, *dirigé contre quelques brigands, menacerait tous les citoyens*. Dans sa fureur, le Premier Consul feignit derechef de tenir la baronne pour l'instigatrice des propos du tribun. Et Mme de Staël, perdant le bénéfice de tout un hiver où elle s'était bien conduite envers le pouvoir, repartit pour Coppet en mai 1801.

Elle y reprit le manuscrit de *Delphine*, attendant que Benjamin, à l'été, voulût bien la rejoindre, réticent, mais soumis, ayant plus qu'aux trois quarts rompu avec Anna. Dans ce Coppet qui est toujours celui de M. Necker, la vie se poursuit solennelle, familière, familiale presque, et littéraire. Mme de Staël écrit, Constant écrit, et Necker aussi.

On rentre à Paris et, en janvier 1802, la foudre tombe. Sur Benjamin. Bonaparte fait éliminer du Tribunat une vingtaine de ces *métaphysiciens, tous bons à jeter à l'eau*, dont Constant est le chef de file. Pour plus de onze ans, toute carrière politique va lui être interdite.

Il en conservera plus que du dépit. Son vieux sentiment de culpabilité va se réveiller, se nourrir de cet échec. Dans l'inaction, l'obscurité auxquelles il se trouve réduit, il voit une honte. Il sent sa vie se perdre.

Si c'était Mme de Staël que Bonaparte avait entendu frapper à travers Constant, le tyran avait eu du flair : désormais, les sentiments de Benjamin envers Germaine subiront une dégradante complication de plus. L'ambassadrice est la cause, proche, certaine, de son échec, de sa honte. De sa ruine aussi, qui va rendre sa dépendance vis-à-vis de Coppet plus étroite encore. Aussi ne put-il refuser de suivre Germaine de très près, lorsque, à la fin d'avril 1802, elle se résolut à emmener son mari à Coppet.

M. de Staël, son poste perdu, avait sombré dans une vraie misère, dont Necker l'avait à demi tiré, puis dans la décrépitude. Et l'on vit, gagnant le Jura, ce singulier cortège de la dame de Coppet emmenant en voiture, moribond, le mari dont elle était séparée légalement (quant aux biens) depuis deux ans, cependant qu'à quelque distance, incognito, suivait l'ami en titre, l'ancien amant en proie *au profond dégoût que lui inspirait sa vie.*

A Poligny, la voiture de tête dut faire halte. Staël allait de mal en pis. Germaine le veilla, puis le soir du 8 mai prit un peu de repos. Ce même 8 mai, Coppet vivait des heures mouvementées. Les « Bourla-Papey » — « brûleurs de papiers », en patois vaudois — se présentèrent au château, exigèrent, comme ils le faisaient d'un bout à l'autre du canton, la remise des titres féodaux, l'obtinrent et mirent le feu aux rentes de l'ancien ministre. C'était pour le Pays de Vaud le dernier acte de la révolution. Pour M. Necker, qui ne s'en trouva que modérément incommodé, c'était aussi une manière de dernier acte : la conséquence ultime de ces réformes qu'il avait naguère tenté d'imposer. Quant à

Armes de Staël.

Eric-Magnus, baron de Staël-Holstein, au matin du 9 mai, un domestique le trouva mort dans son lit d'auberge, à Poligny. Il fut enseveli à Coppet, loin de l'enclos Necker. Sa tombe a disparu.

Germaine et Benjamin ne trouvèrent pas la paix en Suisse. Le pays se consumait dans des luttes anarchiques. La curiosité de Lausanne et de Genève s'attachait à ce grand mystère: Constant épouserait-il la veuve de M. de Staël? Du coup la cousine Rosalie s'annonça à Coppet. *Sa position là est très curieuse. Il ne fait sa cour à personne, il dispose de tout et grogne de temps en temps comme un enfant gâté.* Il régalait sa cousine de *politesses très drôles.* Mais il était bien temps de bouffonner. Benjamin à son tour se voyait menacé d'exil. Sur quoi la guerre civile éclata. En novembre, Constant s'installa à Genève.

Et c'est à Genève, à la fin de l'année, que parut *Delphine*, le premier grand roman de Mme de Staël et son premier triomphe littéraire.

Benjamin Constant
(attribué à F. Massot
ou à A. Munier-Romilly).

L'hiver à Genève n'est pas une saison très clémente. Sur la rade, la ville, souffle souvent la bise noire, qui vide les rues et fait gémir les hôtels de la rue des Granges comme la mâture d'un navire sous la tempête. L'hiver 1802-1803 fut particulièrement rude. *Mes premiers moments dans les murs de cette cité n'ont pas été gais*, écrit Constant: *le froid met véritablement à l'épreuve les forces physiques; d'autres choses mettent à l'épreuve plus douloureusement les forces morales...*

D'autres choses? Le succès même de *Delphine* se révèle dangereux. Il déplaît profondément au Bonaparte qui, consul à vie, plébiscité depuis l'été, ayant conclu la paix avec l'Angleterre, tente d'imposer à la France un ordre moral. Germaine a été avertie de ne pas même tenter de rentrer en France. Passer non plus l'été seulement, mais l'hiver loin de Paris: c'est bien l'exil cette fois-ci. Une peine qu'elle impose du coup à Benjamin.

Nous avons aujourd'hui quelque peine à lire les trois volumes de *Delphine*, trois volumes de lettres, sinon comme un roman historique et à clefs (ils se révèlent alors passionnants), mais les contemporains se délectèrent de leurs pages humides de larmes, frémissantes aussi de revendications. Les plus avertis d'entre eux déchiffrèrent avec délices les portraits. Benjamin y avait le sien, non pas seulement sous un nom — M. de Lebensei, protestant anglophile — mais sous plusieurs: *Je connais peu d'ouvrages*, écrivait-il secrètement à un ami, *où il y ait une peinture aussi vraie des caractères*. Il parlait en connaissance de cause! Mais d'être devenu personnage de roman le troublait beaucoup moins qu'une autre intrigue, qu'il vivait, à Genève.

Benjamin n'avait pas conçu de nouvelle passion, rencontré entre Rhône et Arve une nouvelle Lindsay. Il faisait pourtant sa cour. Il ne promettait pas le mariage: il y songeait. *Je veux me marier*; cela signifiait qu'il examinait longuement, lointain disciple de Panurge, s'il lui fallait se marier.

Au tournant de l'an, il s'était pris d'un « goût » pour une demoiselle genevoise, Amélie Fabri, fille d'un feu capitaine au service de Piémont, orpheline donc, et ce point, bien qu'il ne fût guère touchant chez une demoiselle de plus de trente ans, paraît avoir pris une importance capitale aux yeux de Constant. Il lui faut une femme « presque inaperçue », faite pour la retraite, douce, facile à diriger, indépendante de tous liens familiaux ou sociaux, disponible à sa volonté, n'ayant pas d'avis personnel. Il a sur ce point *les opinions anglaises au dernier degré*. (*Corinne* sera bientôt une dénonciation pathétique de ces mœurs britanniques.) Une femme doit être *la partie douce, légère, gracieuse, consolante, reposante, mais par cela même la partie subordonnée de l'existence commune...* Soit exactement tout ce que n'est pas Germaine, qui a un père, des opinions et quelles exigences !

Amélie serait-elle cette femme-là, à la fois épouse, maîtresse — Benjamin y tient beaucoup — mère et pupille ? On en peut douter, Constant en doute le tout premier. *La pauvre Amélie, gâtée par la vie de Genève, grandie dans l'habitude de soirées insipides et d'un ricanement perpétuel* ne serait guère qu'un *animal assez fidèle, d'une nullité complète*. Mais il suffit que, pendant quelques jours, elle l'évite pour que Benjamin souffre. Cette souffrance vraie atténue l'odieux des calculs d'un Constant plus proche ici, à tout prendre, d'Amiel que de Panurge.

Dans les plans perpétuellement changeants de Benjamin : mariage, mariage après enlèvement, mariage secret, Amélie n'est qu'un instrument, celui qui doit le libérer de Germaine. Le mariage n'est qu'une issue à une situation sans espoir, une échappatoire en somme. Et le nom de la Genevoise ne mériterait guère l'attention si elle n'avait eu, involontairement, le plus grand mérite littéraire, un mérite demeuré inconnu jusqu'à une date très récente. Amélie Fabri a amené Constant, en janvier 1803, à tenir son journal : une trentaine de courts fragments dont le dernier est daté d'avril, groupés sous un titre d'allure romanesque : *Amélie et Germaine*, mais si bien écrits pour l'auteur seul qu'ils sont demeurés inédits * jusqu'en janvier 1952.

D'autres *Journaux intimes* suivront bientôt ce premier « fragment de sa vie » : Constant leur doit non seulement bonne partie de sa gloire, mais le plus sûr, le plus vrai de sa grandeur. Et, tant qu'on n'aura pas retrouvé de carnet plus ancien, c'est à la pauvre Amélie qu'il les devra un peu l'une et l'autre.

43

Amélie, ~~[illegible]~~ et Germaine.

I. 6 Janvier 1803.

Je me sens dans une de ces crises du coeur et de l'imagination, qui ont plus d'une fois bouleversé toute mon existence, brisé toutes mes relations, qui m'ont transporté dans un monde nouveau, où il ne me restoit, de celui que j'avois quitté que quelques souvenirs assez effacés, mais plutot tristes, des ennemis qui nécessitoient des explications fatigantes, mais en général

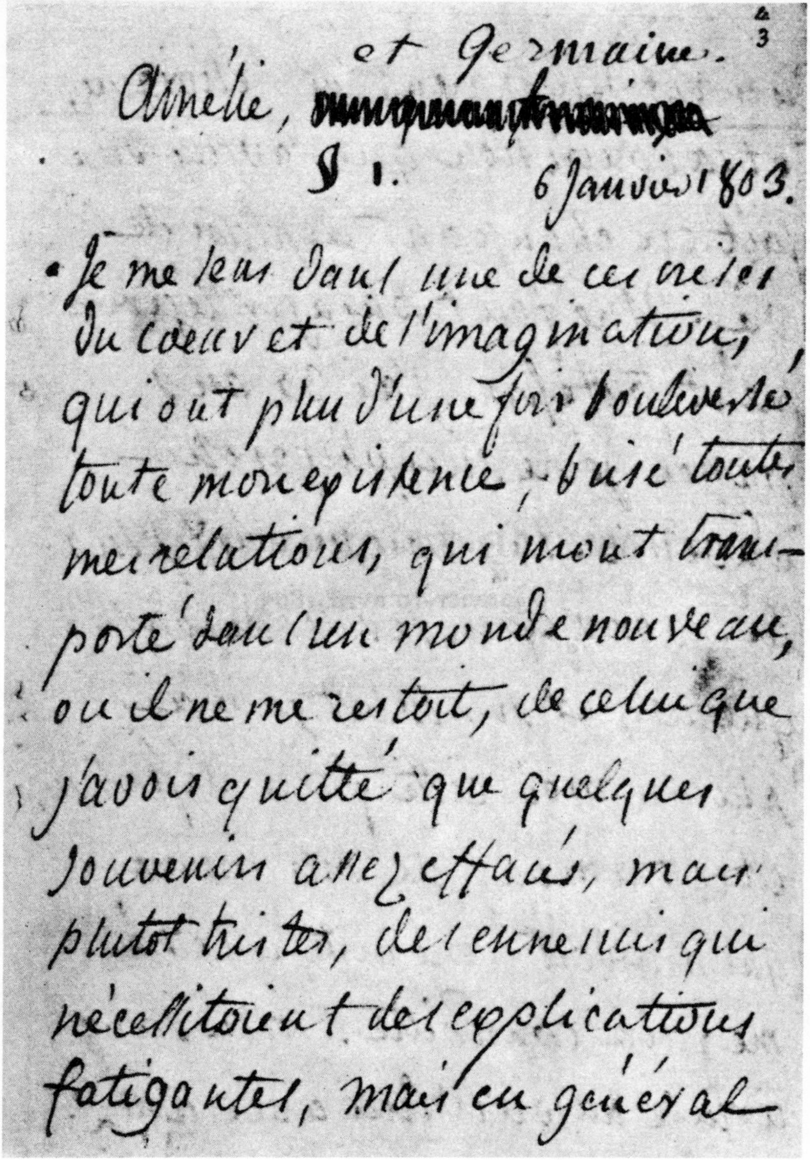

« Amélie et Germaine »:
première page
du premier journal connu
de Benjamin Constant.

Ainsi Benjamin, pendant trois mois d'abord, va s'installer, le soir, devant sa table à écrire comme devant un miroir. (Dans ces pages, le monde extérieur se reflète à peine. Il n'y est pas question de l'Acte de Médiation, par lequel Bonaparte rendit la paix aux Suisses, le 1er février 1803.) Le portrait qu'il trace de soi est celui d'un homme en pleine crise, passant sans cesse d'un parti à un autre, un être d'une mobilité effrénée, d'une indécision lucide, excellant à poser les problèmes qu'il n'a jamais la force de résoudre.

J'ai 35 ans passés. Je ne suis plus riche d'avenir. Depuis longtemps, je n'ai plus d'amour pour Germaine. Germaine a besoin du langage de l'amour, de ce langage qu'il m'est chaque jour plus impossible de lui parler. Jamais personne n'estimera mon esprit comme Germaine; personne jamais ne mettra entre les autres et moi-même une telle distance... Depuis 8 ans, Germaine me fait vivre dans un orage perpétuel, ou plutôt dans une complication d'orages, c'est de la politique, c'est de l'exigence d'amour comme à dix-huit ans, du besoin de société, du besoin de gloire, de la mélancolie comme dans un désert, du besoin de crédit, du désir de briller, tout ce qui se contredit et se complique. Depuis qu'après m'avoir captivé, elle m'a dompté par la violence de ses démonstrations de douleur, je n'ai pas passé un jour sans être en fureur et contre elle et contre moi... Je dois redire que Germaine est la meilleure créature de la terre, mais qu'elle a un tel besoin de mouvement et un tel fond de douleur qu'il m'est impossible de vivre heureux en laissant ma vie sous sa dépendance... Bref, Benjamin se voit esclave et s'en trouve las.

Est-ce si sûr? Je me suis rattaché de goût à Germaine. Mais pourquoi n'a-t-elle *point de sens* (il s'agit d'un pluriel)? *Germaine est bien aujourd'hui* (il ne s'agit pas de santé). *Je l'aime encore véritablement... J'ai passé huit jours en tête à tête avec Germaine. Quelle grâce! quelle affection! quel dévouement! que d'esprit! Cependant...*

Cependant Benjamin a hâte de s'éloigner. Seul, puisque Germaine ne peut plus le suivre à Paris et qu'elle l'a persuadé de renoncer à ses projets matrimoniaux. Elle a fait scène sur scène. Elle a aussi parlé raison. Elle a eu raison... L'été suivant, celui de 1804, Benjamin reverra Amélie. *Comme je l'aurais prise en aversion si on était parvenu à me la faire épouser!* Il garde pourtant pour la demoiselle un « entraînement ». Dans le *Journal*, son nom apparaîtra pour la dernière fois en janvier 1806: *Soupé chez Amélie. 8. Tout vaudrait mieux que ce qui est.* Dans le code de ce journal 8 signifie: projets de mariage. Comme le mobile Benjamin changeait peu!

Le recueil de 1803 fixe un point d'histoire. Libre, Germaine ne croit pas pouvoir épouser Benjamin, ou plutôt ne veut pas l'épouser. Et Benjamin, déjà, ne voit de salut que dans un mariage avec une autre, qui lui permettrait de conserver l'amitié de Germaine tout en échappant à sa tyrannie. Car ce journal contient une image terrible, vengeresse et résignée à la fois: *Si je ne vivais pas sous le canon de Germaine...*

Dans *Amélie et Germaine* Constant s'affirme d'emblée l'analyste du cœur qui triomphera dans les *Journaux* et dans *Adolphe. Je l'aime beaucoup mieux*, disait-il d'Amélie, *quand je ne la vois pas que quand je la vois. Je l'ai pensé souvent: le sentiment de l'amour n'a rien de commun avec l'objet qu'on aime. C'est un besoin du cœur qui revient périodiquement, à des époques plus éloignées que les besoins des sens, mais de la même manière...*

Germaine connaissait bien ce besoin du cœur. Genève cet hiver-là jase beaucoup sur ses relations avec un Irlandais qui la suit partout. Elle rencontrera d'autres ressortissants des îles britanniques, nouera avec eux des intrigues. Elle qui, hors de ses œuvres romanesques, ne se souvient jamais de ses aventures sentimentales, abandonnera cette superbe ignorance dans *Dix années d'exil*, en faveur du printemps et de l'été 1803: *J'étais à Genève, vivant par goût et par circonstance dans la société des Anglais...*

La société genevoise s'efforçait en effet d'ignorer les Français, les occupants. Ils formaient une société à part, officielle, mais plus qu'à demi étrangère, où Germaine comme Benjamin avait d'ailleurs des intelligences étroites. Dans la société de la ville haute, moralement et presque physiquement retranchée, Mme de Staël et Constant avaient aussi leurs entrées. Les jours n'y paraissent pas moroses. Pour Amélie, c'est *une vie de soupers, de soirées, de babil et de niaiseries.* On joue, on parle, on ricane. (Constant l'ironique, trait bien vaudois, ne goûte guère l'ironie des autres.) Et Benjamin l'écorché note avec une intense satisfaction qu'il a été parfaitement reçu dans cette société. Roule enfin le torrent

Staël, cette troisième société en marge des deux autres, plus brillante, plus cosmopolite, aux débordements imprévisibles. *Tout le monde était réuni à sept heures*, raconte une très digne commère du temps. *Elle arriva à dix heures et demie avec son escorte accoutumée, s'arrêta à la porte, ne parla qu'à moi et aux personnes qu'elle avait amenées de Coppet et repartit sans seulement être entrée dans le salon...*

A la mi-avril, Constant a quitté Germaine et Genève. A-t-il fait encore, comme sa correspondance le donnerait à croire, une « petite course de montagne » avant de quitter les rives du Léman ? Un Benjamin alpiniste serait inattendu. Il s'installe près de Paris dans sa nouvelle retraite, les Herbages. Germaine, elle, est comme clouée à Genève ou à Coppet. Necker, toutes hontes bues, avait sollicité du dictateur la grâce de sa fille, condamnée à perdre son temps dans la sévère solitude de Coppet ou « les petites villes » qui l'environnent. (A cette humiliante manière d'un Genevois de parler de Genève, on mesurera l'amour que l'ancien ministre portait à sa fille.) La réponse fut sèche. Toute tentative était inutile. Bonaparte n'entendait pas qu'on le croie assez faible ou assez imprudent pour laisser l'administration en proie aux sarcasmes...

En septembre, le vent paraît tourner. Que Germaine se tienne à dix lieues de Paris, et coite. Le pouvoir fermera l'œil. Mme de Staël, qui a accumulé contre Genève et les Genevois une bile dont elle se défait dans ses lettres, tout en avouant que son horreur tient simplement à l'idée que la fatalité l'y ramènera toujours, s'installe à proximité de la forêt de Montmorency, à proximité aussi des Herbages de Constant. Elle prépare sa rentrée à Paris, et fait des scènes à Benjamin. *Notre rupture eût été inévitable — dira Cécile — si, douze jours après son établissement dans une campagne voisine de la mienne, Mme de Staël n'eût été frappée d'un second exil. Il n'était ni dans mon caractère, ni dans mon cœur d'abandonner une femme proscrite. Je me réconciliai donc avec elle, et nous partîmes pour l'Allemagne.*

Sans Benjamin qui m'amuse, nous deux, maman et moi, nous ne saurions que faire au milieu de tous ces Allemands, écrivait la petite Albertine à son grand-père. On gagna Weimar, où Constant passa ses soirées avec Gœthe — qui sentit sa valeur — et Schiller, puis l'hiver écoulé Leipzig. A Leipzig, Constant fut enfin autorisé à reprendre la route de la Suisse, cependant que Mme de Staël s'en allait à Berlin. Mais on ne se quitta pas sans une négociation serrée. *Elle exigea de moi une promesse que je n'épouserais jamais aucune autre femme.* L'engagement était d'ailleurs réciproque.

Ces pactes solennels étaient dans la manière de Coppet, comme la correspondance de chambre à chambre ou l'opium. Le billet que signait Constant, en guise de levée d'écrou, ne faisait au surplus que répondre à un autre engagement tout aussi solennel.

Constant l'avait constaté: avec des opinions semblables, Mme de Staël et lui se nuisaient, au lieu de se soutenir. *Je puis me taire sous le despotisme, mais je ne veux pas me réconcilier avec lui: elle voudrait se réconcilier, mais elle ne peut se taire.* Germaine le gêne. Il se trouve solidaire de ses imprudences, privé de liberté dans ses projets; et l'ami de Germaine n'aura-t-il pas toujours *une apparence de désordre et d'irrégularité qui lui nuira?* S'il ne peut secouer son joug, qu'au moins il obtienne d'elle plus de réserve et de prudence. Et voici qu'en Allemagne, à Fulda, le 5 décembre 1803, Constant obtient de Germaine ce beau billet: *Je prie Benjamin de me rappeler, si jamais je me retrouve paisible à Paris, que je lui donne le droit absolu de m'empêcher de faire toute démarche, depuis la plus petite jusqu'à la plus importante, qui pourrait compromettre en rien mon repos, et celui surtout de mon généreux ami.*

Benjamin avait promis de ne se point marier. Germaine s'engageait à obéir à Benjamin comme elle n'avait jamais obéi à son mari, ni d'ailleurs à personne. Aucune de ces promesses ne fut tenue.

Le 19 mai 1804, tous rideaux baissés, une berline roulait dans l'étroite rue de Coppet. Des arcades qui la bordent, se trouva-t-il quelque commère pour remarquer que l'un des rideaux de la voiture s'agitait, qu'une main de femme tentait de le lever, alors qu'une autre, plus ferme, une main d'homme, le maintenait clos par force? Rêva-t-elle de quelque romanesque aventure? On a peine à imaginer les bourgeois de Coppet, pêcheurs, artisans,

Le temple de
Coppet.

aubergistes ou notables, portés au romanesque. De plus les habitants du bourg étaient renseignés. Ils attendaient, ils faisaient la haie... Les amis de Mme de Staël la ramenaient à Coppet, un Coppet vide pour elle à jamais: Necker était mort.

C'est ce château déserté que, dans ses convulsions, elle voulait apercevoir, alors que ses amis, Auguste-Guillaume Schlegel, le philosophe, qu'elle ramenait de Berlin comme précepteur, et Constant tentaient de lui épargner cette épreuve.

Benjamin était arrivé à Lausanne pour y apprendre la maladie, puis le 9 avril la mort de Necker, à Genève. Il ne songe qu'à Germaine toujours en Allemagne: *Tous ses souvenirs vont se retourner contre elle. Je crains pour sa vie, je crains pour sa tête*. Il ne balance pas. Il ira à la rencontre de Germaine, il l'aidera à supporter le coup de l'atroce nouvelle.

Et l'on découvre ici peut-être le plus noble Constant. Cet homme que nous avons vu misérable, faible, dur, indécis, digne de pitié sinon de mépris, montre soudain sa grandeur d'âme. A Paris déjà, l'automne précédent, alors que, las du joug, il éprouvait *un vrai besoin de respirer en plein air*, il avait suffi que l'ambassadrice fût exilée pour qu'il abandonnât sa retraite et la suivît à deux cents lieues. Pour lui *il était plus facile de brûler la cervelle à son ami intime* que d'abandonner Germaine à son malheur. Encore pouvait-il avoir agi sous contrainte. Aujourd'hui, son tyran se trouve quelque part entre Berlin et Weimar. Benjamin n'aurait même pas à fuir, à agir: il lui suffirait de se tenir coi... Il part sans délai. Il casse sous lui voiture après voiture. Aux rares étapes, il croit entendre déjà les cris de Germaine, quand elle saura. Il la rejoint, sans qu'elle s'en doute. Il la laisse arriver à Weimar, où toute la cour s'apprête à entourer la malheureuse. Et puis, quand d'une autre elle a appris la vérité qu'il serait hors d'état d'assener lui-même, il fait son office, il assiste celle pour qui la nouvelle est pire que la mort... On ne rougit pas d'admirer un tel homme, ni d'aimer sa mémoire.

La pitié me poursuit, dit-il. Et ce qui suit n'est pas vantardise, mais constatation doulou-reuse: *Je ne connais que moi qui sache sentir pour les autres plus que pour moi-même*. Peut-être touchons-nous là au secret de cette liaison plus serrée qu'un mariage. Amour de tête, a-t-on répété; ils se tiennent par l'esprit. Ce n'était pas faux, mais ce n'était pas tout. Dans la tyrannie exercée, dans le servage consenti, il y avait un lien beaucoup plus profond.

Benjamin et Germaine sont fils du XVIIIe et du pays de Rousseau. Pour lui comme pour elle « sentir » est le mot clef. *Cette âme vive, émue, expansive, passionnée et généreuse*, ainsi Sainte-Beuve parlera de Germaine. Elle aurait fait tenir tous ces traits en un: *je suis née sensible, profondément sensible*. Tous ceux qui l'ont connue et vraiment aimée en témoignent. *Une femme qui unit le besoin du succès à une sensibilité profonde*, selon Albertine Necker, la cousine perspicace. Et Benjamin: *Peindre un tel mélange de génie et de sensibilité était impossible.* — *Je souffre, je jouis, je sens à ma manière*, décrétera bientôt Corinne. *Je croyais*, dira encore Corinne, *que tous les malheurs venaient de ne pas assez penser, de ne pas assez sentir...*

Sentir n'est pas tout, encore faut-il « être senti ». Bien plus, il faut se faire sentir. Albertine le saura-t-elle, s'inquiète sa mère. Sentir, se faire sentir, voilà donc « la grande affaire de la vie » *. Mais l'être sensible n'a pas, au milieu du monde, une destinée heureuse. Aussi *le bonheur même des âmes sensibles n'est-il jamais sans quelque mélange de mélancolie.* Germaine a le culte de la mélancolie et Benjamin la respecte infiniment.

Il me semble, dit Delphine, *qu'il y a de la dureté dans la plupart des hommes, de la dureté surtout dans les peines du cœur; on froisse, on déchire sans scrupule les âmes sensibles: leur délicatesse, leur exaltation s'appelle bientôt de la folie...* Même des êtres bons et tendres peuvent frapper de la sorte. Il leur suffit de parler bon sens. *On est étonné de la douleur que font naître ces expressions claires et positives qui ne changent rien à la situation, mais blessent l'imagination presque autant qu'une nouvelle peine.*

Ce qui manque aux êtres positifs, c'est la pitié, ce *bon génie de l'âme*, et le tact: face à une âme sensible, une autre âme sensible ne peut, ne doit que se mettre au diapason. Dire en revanche *aux pauvres créatures qu'elles n'ont pas raison de souffrir* puis passer, *assez satisfait de la barbare consolation qu'on croit leur avoir donnée*, c'est commettre le crime majeur.

Lorsque à Coppet Chateaubriand parlera à Mme de Staël de sa solitude comme d'un moyen précieux d'indépendance et de bonheur, quand il lui écrira qu'il voudrait

Le château et le bourg de Coppet, vus du lac.

bien pour sa part avoir un bon château au bord du lac de Genève, il commettra ce forfait, lui l'enchanteur. Il sera l'homme positif, dur, commun. *Il y a si peu de gens sur terre qui parlent la sorte de langue sans laquelle aucune corde de mon cœur n'est émue.*

Benjamin, lui, parle ce langage. L'ironiste du *Cahier rouge*, l'analyste d'*Adolphe*, le cynique du *Journal intime* est une âme sensible. Il n'est pas de ceux qui, devant la douleur, rompent la communion des cœurs. Il le prouve en regagnant Weimar. Il le montre à Weimar.

Sensible. Non point dupe, fût-ce de soi-même. S'il cherche en route quelqu'un avec qui pleurer, s'il appelle au secours contre ce qu'il souffre, il relève aussi: *si je voulais, je serais, non pas consolé, mais tellement distrait de ma peine qu'elle serait comme nulle; mais je ne veux pas, parce que Minette a besoin, non pas seulement de mon secours, mais de ma douleur.*

Voici donc le secret de cet étrange amour: « elle a besoin de ma douleur ». Comme Benjamin connaissait bien Germaine, comme la rencontre est semblable à ce qu'il avait

Le château de Coppet, vu du midi.

prévu: *Les premiers moments ont été convulsifs. Quelles absurdes et révoltantes consolations on lui a présentées. Quel manque de sensibilité dans presque tout le monde... Ce sont des formules convenues, avec lesquelles ceux qui se disent les amis des gens qui se disent affligés fournissent à ceux-ci le prétexte de se débarrasser le plus tôt possible de leur douleur prétendue. Non, certes, ce n'est pas ainsi que je suis sensible: ce n'est pas ainsi que je sais compatir à la douleur. Dieu me préserve de vouloir l'étouffer sous des consolations étrangères! La vue de cette profanation me révolte et me rendrait dur envers le malheureux, si je voyais qu'il s'y prêtât. Ma pauvre amie en est bien loin...*

Ce texte est capital. Sur les sentiments qui lient Benjamin à Germaine, il jette un jour décisif. Ces deux êtres se tiennent aussi par le cœur. Ils sentent d'identique manière, au moins quand ils souffrent. Leurs sensibilités, exacerbées, s'accordent d'extraordinaire façon. Il y a entre eux parfaite sympathie, si parfaite qu'à lire le texte de *Delphine* plus haut cité et le texte du *Journal* — Constant l'a repris au début de 1804 — on dirait que le mot sympathie a été forgé pour ces deux êtres-là. Et l'on ne peut que constater la parfaite exactitude d'une autre remarque du journal, alors que pourtant la lutte entre eux a repris après l'armistice des larmes: *Il est certain que je ne vis d'esprit, de cœur et d'abandon qu'avec elle.*

Après dix jours de deuil à Coppet, Constant se donne pourtant le congé d'un séjour à Lausanne et célèbre les joies de la solitude. Mais il ne lui faut pas une semaine pour rentrer au château, avec bonheur: *Elle ou rien, il n'y a pas de doute.*

Serait-ce que la question de Panurge est tranchée? Va-t-il épouser enfin Mme de Staël? La mort de Necker — *mon frère, mon fils, mon mari, mon tout* — a levé un obstacle, plus infranchissable que ne l'avait jamais été l'existence de M. de Staël. Mais non! en Allemagne déjà, Germaine et Benjamin se sont entretenus du problème: elle croirait déchoir — *oui, déchoir est le mot*, enregistre le journal — en l'épousant. Dès lors, plus que jamais, il sent le joug. Il s'insurge. Le *Journal* devient un recueil de lamentations. Mais cela c'est son secret. Pour le monde, l'homme est gai. Il plaisante sans cesse. Il y a du mérite. Car Germaine...

enève, la maison où logea Constant, à la rue tienne-Dumont, alors ue des Belles-Filles.

Bateau pour promener les étrangers, dessin d'A. Hentsch.

Singulière femme! Elle a une sorte de domination inexplicable, mais très réelle sur tout ce qui l'entoure. Fait-elle une course à Genève? Bonstetten, l'ancien bailli de Nyon, sage quinquagénaire, le marquis de Blacons, quadragénaire viveur, Sismondi l'historien, le savantissime Schlegel, Benjamin enfin, tous ses commensaux de la saison, dînent *comme des écoliers dont le régent est absent...*

Au début d'août, la classe entière se transporte à Genève. Constant loge, et c'est un programme, à la rue des Belles-Filles *, où il se fait adresser son courrier sous un nom supposé, car la police le surveille de près. Il voit beaucoup cette fois les Français officiels et note avec satisfaction à quel point ils sont revenus du régime, du « gras coquin » qui s'apprête, à Paris, à monter sur le trône. Après Weimar, la Suisse et Genève lui avaient paru sans ressources. *Quel pays que celui-ci! Quelle société que celle de Lausanne! J'y périrais. Quels hommes que les Genevois!* Mais il découvre bientôt que *la seconde classe, à Genève, est infiniment moins ennuyeuse que la première* et se met à en fréquenter assidûment quelques représentants, va au spectacle et travaille. L'esprit des hommes de Genève agit sur lui. Il parle chimie! Et comme rien ne lui est plus étranger que les recherches exactes, il philosophe sur le sort des chimistes.

Germaine, elle, habite les appartements de son père, rue Neuve-St-Germain, aujour-d'hui 6 rue des Granges *. C'est la piété filiale qui l'a amenée en ville au gros de l'été. Necker a beaucoup écrit, dans tous les genres. Elle recueille ses manuscrits, en prépare avec vénération la publication. Comme à Coppet, Constant est requis de lui donner la réplique plusieurs fois par jour, le matin d'abord, puis le soir, et enfin dans la nuit. Ces dialogues nocturnes gâtent tout. *Il me paraît*, proteste Benjamin, *qu'à 37 ans je dois avoir le droit de me coucher quand je veux*. Ce couple qui s'éleva si haut va-t-il sombrer dans les plus bourgeoises querelles? Reste Albertine: *Mon Albertine est un charmant enfant. Je n'ai jamais vu plus d'esprit, ni plus de mon esprit, ce qui pour moi est un grand mérite*. Et, tout en refai-sant sans cesse le plan de son grand ouvrage sur *Les religions*, il note minutieusement des plans de libération. En fait, il attend que cette libération se produise d'elle-même: Germaine à l'automne doit partir pour l'Italie.

La vie se poursuit, brillante. Le préfet Barante donne une soirée en l'honneur de la duchesse de Courlande, avec de la musique sur le lac. Pour Germaine, le préfet était un ami. Et il avait un fils, Prosper, à l'élégance et à l'intelligence duquel elle ne put demeurer insensible. En octobre, la cour se réinstalla à Coppet. Maintenant qu'elle avait perdu « son tout », Germaine avait plus que jamais besoin de son répondant, Benjamin. Son exagération de sentiments, son exaltation de sa propre personne s'affirmaient. Ses exigences aussi. *Elle a un besoin de moi qui la rend très touchante, mais qui me rend très malheu-reux*. Et, las du rôle de toupie préférée, de soupirer: *je veux trouver un pays où l'on dorme tranquille*.

Germaine, ayant arrêté enfin la date de son départ pour l'Italie, fit son testament et le confia à Constant. Benjamin, lui, ne se voyait plus que comme *une ombre causant avec des ombres*.

Les derniers adieux eurent lieu à Lyon, après sept jours d'indicible affection, le 11 décembre 1804. Constant avait sept mois de vacances. Une semaine plus tôt, jour pour jour, à Paris Napoléon avait été couronné empereur.

La maison Boissier, rue des Granges, où mourut Necker.

Charlotte de Hardenberg.

Lettre de Mme de Staël, 2.2.2.2.2.2.2.2.2.2.2.2.2.2. Tel est, pour le 30 juin 1805, l'essentiel des notes de Benjamin Constant dans son journal. Depuis la mort de Julie Talma, amie exquise, il avait pris ce confident en grippe et n'écrivait plus qu'en abrégé et en grande partie en chiffres. Nous en avons la clef. Si nous ne l'avions pas, une phrase de *Cécile* la donnerait: Mme de Staël *était au moment de son retour et, suivant sa coutume, elle exigeait impé-rieusement ma présence, à une date fixée... Elle avait repris le ton de violence et de menace qui m'avait si souvent révolté contre son empire et ma faiblesse.* De fait, dans le code, 2 signifie: désir de rompre mon éternel lien. Et la répétition du chiffre donne l'intensité — ici, puissance 13 — du sentiment.

Huit jours plus tard Constant, de Paris, avait gagné Coppet! *Pour 12, fini pour jamais,* commente l'abrégé. 12 veut dire: amour pour Mme du Tertre. Le nom était nouveau, la dame en revanche a déjà tenu quelque place dans ce récit: Charlotte de Hardenberg, cette noble allemande qu'à Brunswick Constant avait pensé épouser avant même d'avoir obtenu son propre divorce. En 1795, il en avait reçu une lettre. En 1800, il avait appris qu'elle s'était remariée, avec un Français émigré. En 1803, nouvelle lettre, correspon-dance. En 1804, enfin, rencontre à Paris, souvenirs doucement attisés. En 1805, elle lui offrit de divorcer encore, pour l'épouser bien sûr. Mais Constant partit, on l'a vu, pour Coppet: 12, fini pour jamais.

Germaine avait décidé de faire un roman de son voyage d'Italie. Les Alpes repassées, elle y travaillait, écrivant parfois sur ses genoux, sans interrompre la vie brillante et orageuse de Coppet. Ce sera *Corinne* ou, comme on l'a dit, l'Italie démontrée par l'amour. Le héros de *Corinne* est Oswald, lord Nevil, pair d'Ecosse. On connaît son modèle ou ses modèles plutôt: un gentilhomme portugais rencontré à Rome, futur premier ministre, qui finit d'ailleurs cette année-là par rejoindre Genève, et le distingué Prosper de Barante. Ces références sont inattaquables. Mais on ne peut se défendre de penser que derrière eux, Germaine vise un troisième homme. *Il avait à travers mille rares qualités, beaucoup de faiblesse et d'irrésolution dans le caractère. Ces défauts sont inaperçus de celui qui les a, et prennent à ses yeux une nouvelle forme dans chaque circonstance: tantôt c'est la prudence, la sensibilité ou la délicatesse qui éloignent le moment de prendre un parti et prolongent une situation indécise...* Si Oswald n'est pas le frère de Benjamin, c'est son cousin germain. Et Benjamin, autorisé à lire par-dessus l'épaule de Germaine-Corinne, ne dut guère s'y tromper.

Rue des Chanoines, aujourd'hui rue Calvin: derniers
vestiges (dans le mur bordant la chaussée) de la maison
où vécurent Mme de Staël et B. Constant; à droite,
l'hôtel Necker de Germagny.

Mme de Staël, dessin de Friedrich Tieck.

Une fois de plus la dignité de héros de roman ne pouvait guère lui apporter de réconfort. En novembre, Germaine prend à Genève ses quartiers d'hiver, rue des Chanoines, peut-être chez sa tante Germagny, dans le bel hôtel particulier bâti entre cour et jardin *. Privé cette fois de ses vacances d'hiver, Constant la suit. Elle va d'ailleurs lui donner un nouveau rôle. Pour échapper à la mélancolie qui la mine, elle se livre à la furie du théâtre.

    Une fois de plus, l'énergie de cette femme étonne. Elle loue un appartement, à la place du Molard, dans les anciennes halles de la douane, depuis peu transformées en habitations**. A ce quatrième étage, la place ne manque pas, sinon en hauteur. Elle y fait

La place du Molard, à Genève. Les anciennes halles sont à gauche;
le théâtre de Mme de Staël se trouvait dans l'immeuble qui jouxte le fond de la place.

aménager des tréteaux, toute une machinerie. La scène est basse, mais bien agencée, la salle aimablement décorée. Mme de Staël est directrice, chef de la troupe, metteur en scène. La première représentation a lieu le 30 décembre 1805. A l'affiche: *Mérope*, de Voltaire. Plein succès. La société genevoise préfère encore les spectacles de la dame de Coppet à ses réceptions. Aussi bien les spectateurs reconnaissaient-ils quelques-uns des leurs dans sa troupe. (Ils goûtaient beaucoup moins qu'elle eût permis à la fille de sa femme de chambre de monter sur les planches.) A cette troupe, elle impose un programme qui aurait effrayé des professionnels. On répète tous les deux jours, l'affiche change deux, trois fois par mois, et les grands succès connaissent une seconde représentation.

Constant est du deuxième spectacle. Encore Voltaire: *Mahomet*. Il interprétera Zopire, *pour avoir le plaisir de dire des injures à l'imposteur*. Il apprend son rôle en voiture, se promet d'en faire un mélange superbe de force et de paternité, craint de le mal jouer, espère s'en tirer et note le soir de la représentation: *j'ai très bien joué*.

Voltaire apparaît l'auteur préféré: *Alzire*, en février 1806, puis *Zaïre*, où joue le cher Prosper de Barante. Schlegel joue *Les Plaideurs*. (*Comique dans la tragédie, il n'est plus gai du tout dans la comédie.*) On interprète encore Destouches, Beaumarchais — le *Barbier*, bien sûr — et Dupaty, première après Paris. Germaine n'en reste pas à la mise en scène. Elle est auteur, actrice aussi. Avec Albert, son second fils, et Albertine elle joue deux fois son *Agar dans le désert*. Mais son triomphe, longuement répété, ce sera *Phèdre*. Avec, dans le rôle d'Hippolyte, le jeune Prosper de Barante. *Mme de Staël a joué admirablement.* C'est le commentaire de Constant. Peut-être dans la salle y en eut-il d'autres, plus ironiques.

La saison avait duré un peu plus de trois mois. Sur quoi Mme de Staël prit la route de France, la route surtout de la capitale, mais sans espoir d'y atteindre, du moins à ce premier voyage. Elle s'établit près d'Auxerre, y manda Benjamin et Prosper, et toute sa cour amicale, se fixa après des étapes à Rouen. C'était en prenant par la tangente se rapprocher un peu de Paris, but unique. Et les démarches de Constant avaient permis ce programme. Ce qui fit qu'en cet été 1806, il n'y eut pas de Coppet.

Il n'y eut pas non plus de Genève dans l'hiver 1806-1807. A fin novembre, Mme de Staël fit un nouveau pas en direction de Paris, le plus hardi: elle ne s'arrêta qu'à douze lieues. Fouché toujours circonvenu par Constant fermait les yeux, et Napoléon à Berlin instituait le blocus continental. De sentir si proche son but, cette Mecque vers laquelle elle tendait de tout son être, apporta quelque réconfort à Germaine. Elle reprit son manuscrit de *Corinne*, lui donnant une conclusion vengeresse. La femme de génie, dont l'amour a été trahi par un homme, distingué sans doute, mais dont l'indigence profonde se trouve dénoncée par l'incapacité où il s'est trouvé de se maintenir à la hauteur sublime d'un tel amour, accable cet homme de sa magnanimité et, mourante, le condamne au remords.

Oswald, demande Germaine au nom de son double glorieux, la poétesse Corinne, *se pardonna-t-il sa conduite passée? le monde, qui l'approuva, le consola-t-il? se contenta-t-il d'un sort commun après ce qu'il avait perdu? Je l'ignore; je ne veux à cet égard ni le blâmer, ni l'absoudre.*

C'était tout à la fois, sous des dehors généreux, une dénonciation, une malédiction et une prophétie. Parmi ceux qui avaient prêté leurs traits à Oswald, certains en conçurent du dépit. Benjamin en fut bien plus profondément frappé. Avant même que Germaine ait mis le point final à son œuvre, il notait le 30 octobre 1806, à Rouen: *commencé un roman qui sera notre histoire.* Et le 31 déjà: *Avancé beaucoup ce roman qui me retrace de doux souvenirs.*

On connaît la suite. Ce roman, c'est *Adolphe*, le seul chef-d'œuvre à peu près dans l'ordre romanesque qu'ait vu naître le règne de Napoléon, peu favorable aux lettres, le seul qui ait victorieusement traversé un siècle et demi sans fatigue ni poussière, ce prodigieux document enfin sur les amours de Germaine et de Benjamin et, plus encore, sur les variations du cœur.

On l'a cru longtemps né d'un tour de force, écrit en quinze jours: la preuve est faite depuis peu * qu'au milieu des orages, Constant y consacra toute la fin de l'an 1806, et que la création d'*Adolphe* fut marquée de toute la complexité, de toute la mobilité fugitive

Page de titre de la
première édition parisienne d'Adolphe.

Rançon du succès: une caricature parisienne
qui prétend représenter Adolphe et Corinne.

ADOLPHE,

ANECDOTE

TROUVÉE DANS LES PAPIERS D'UN INCONNU,

ET PUBLIÉE

PAR

M. BENJAMIN DE CONSTANT.

PARIS,
Chez TREUTTEL et WÜRTZ, rue de Bourbon, n° 17.
LONDRES,
Chez H. COLBURN, Bookseller, 5o Conduit-Street
New-Bond.
1816.

Benjamin Constant, bois d'Henry Bischoff,
peintre et graveur vaudois (1882-1951).

du génie de Constant. Et d'abord, quand il écrit: « un roman qui sera notre histoire », ce n'est pas à Germaine qu'il pense!

Un jour qu'il y travaillait Mme de Staël entra dans sa chambre et, le voyant à une lettre, demanda à la lire, comme elle en avait coutume. Contrairement à son habitude, il refusa et, pour abréger la lutte, brûla la lettre devant elle. Sous le poids de la colère de Germaine, par calcul ou par faiblesse, il se lâcha à parler. *Un orage s'éleva qui dura sans interruption pendant tout le jour et toute la nuit...*

Germaine apprit ainsi non seulement l'existence de Charlotte, mais que Benjamin l'avait une fois de plus rencontrée à Paris, alors qu'elle rentrait d'Allemagne, qu'à cette rencontre il avait — c'est le langage de *Cécile* — après treize ans exigé de son amour des preuves incontestables, les avait obtenues et se tenait désormais pour son époux, tout comme elle le tenait, devant Dieu, pour son mari et pour son maître.

Peut-être Benjamin adoucit-il certains points de sa confession. A coup sûr, ne lui dit-il pas de son séjour à Paris ce que dit le *Journal*, lequel brusquement renonce aux abréviations pour parler de Charlotte. *Cette femme est un ange de douceur et de charme. Quel lot j'ai manqué dans la vie... L'amour m'a repris dans toute sa violence. Je ne croyais pas mon vieux cœur si sensible... Journée folle. Délire d'amour... Il y a dix ans que je n'ai rien éprouvé de pareil. Nuit folle comme le jour.* Pourtant, à Germaine, il dit l'essentiel: sa liaison nouvelle, les promesses dont il l'a consacrée.

Ainsi donc, quand Constant à son retour chez Mme de Staël a commencé le roman qui sera « leur » histoire, c'est l'histoire de Charlotte qu'il avait en tête: *Ecrit à Charlotte. Continué le roman, qui me permet de m'occuper d'elle.* Mais, après la terrible journée de l'aveu, tout change. Il note: *Avancé mon épisode d'Ellénore.* Sur ce point encore, plus de doute: Ellénore est l'héroïne d'*Adolphe.* Il n'est plus question de la douce Charlotte, mais d'une femme, redoutable dans son malheur, qui à chaque page ressemble un peu plus à Germaine, qui meurt comme Corinne, mais sans parler. Il est vrai qu'elle laisse une lettre. Ce n'est pas une malédiction, mais une prophétie: *Elle mourra cette importune Ellénore que vous ne pouvez supporter autour de vous, que vous regardez comme un obstacle. Peut-être un jour, vous regretterez ce cœur dont vous disposiez, qui vivait de votre affection, qui eût bravé mille périls pour votre défense, et que vous ne daignez plus récompenser d'un regard.*

Ainsi *Adolphe* et *Corinne* se répondent. L'une accuse, l'autre dédaigneux de plaider s'examine. Un roman commence sous l'influence d'un roman qui s'achève. Leurs tristes héros mâchent la même amertume, comme leurs auteurs vivent les mêmes transes côte à côte, perdus l'un pour l'autre, aussi incapables de se reprendre que de se déprendre, partageant le même toit, le même enfer. Et raffinant sur les tortures de l'enfer. Car ils se lisent l'un à l'autre, publiquement, leurs manuscrits tout frais. *Un roman, le plus touchant que j'aie lu*, décrète Germaine après les premières pages. Après les dernières, elle fait une scène de deux jours, si violente que Benjamin en crache le sang. Et puis note dans ses tablettes: *2 et 12.* Soit: désir de rompre mon éternel lien, amour pour Mme du Tertre.

Ce qui devient le lendemain: *Il faut rompre ou mourir, donc il faut commencer par rompre, sauf, si cela tourne trop mal, à mourir après.*

X

LE COPPET DE MME DE STAËL

J'ai eu ici la visite de toute l'Europe. Vraie à la fin de chacun de ses étés, cette brève constatation l'eût été bien plus encore depuis 1807, la première des grandes saisons de Coppet.

Le catalogue des hôtes serait glorieux: grands seigneurs, grands écrivains, grands esprits. Sur ce rôle étonnant, peu de noms obscurs. Mme de Staël savait choisir ses invités. Coppet constituait ainsi, d'abord, un rendez-vous mondain. Mme Récamier, dont on montre encore la chambre au château, était l'ornement de ce Coppet-là, son appât aussi. Elle en reste le plus gracieux symbole.

Mais Coppet était beaucoup plus qu'un salon ouvert à la fois sur le lac et l'Europe. Sainte-Beuve n'a pas tort d'évoquer son « auréole poétique ». Elle brillait de longue date, tout comme ce qu'il faut bien appeler sans peur des anachronismes sa tradition cosmopolite. L'un des premiers seigneurs de Coppet, Othon de Grandson, n'adjoignait-il pas dès le XIVe siècle à son métier de soldat, chevalier d'honneur du roi d'Angleterre et capitaine général de Piémont, à des exploits qui lui valurent d'être comparé à Ajax par Christine de Pisan, la réputation d'un grand poète courtois, qu'un Chaucer ne dédaignait pas de traduire? Jusqu'à Necker, les barons de Coppet vinrent de trois coins au moins de l'Europe, tel ce comte saxon qui y conduisit le Français Pierre Bayle, le futur auteur des *Pensées sur la comète* et du grand *Dictionnaire philosophique*, ce Bayle à l'esprit curieux et fort, dont on souhaiterait que Mme de Staël ait su qu'il avait, en ces lieux, mérité d'être un peu son patron...

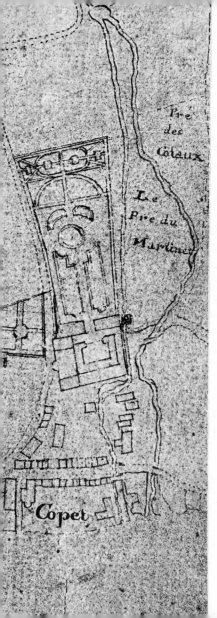

Plan du château et du bourg de Coppet
en 1777.

Jamais on n'a versé autant d'idées, assurait de son Coppet
à elle l'érudit Bonstetten, qui croyait en mourir de fatigue
et soupirait après de rafraîchissants lieux communs. Il fallait
à Germaine ce climat de serre intellectuelle. Elle forçait
les pensées et les sentiments comme d'autres les fleurs. Le
témoignage du poète Chênedollé est célèbre. *Elle mettait sur
le tapis,* raconte-t-il, *l'argument du chapitre qu'elle voulait traiter,
vous provoquait à causer sur ce texte-là, le parlait elle-même dans
une rapide improvisation. Le lendemain, le chapitre était écrit.*
Car on travaillait à Coppet, les hommes du moins et la
châtelaine, bref les membres du phalanstère.

Fidèle à soi-même, Germaine avait une fois de plus —
et l'éclat d'hôtes passagers ne doit pas le faire oublier — reconstitué autour d'elle sa « colonie », celle de Juniper Hall
ou de Mézery. Ce château et son parc, c'est encore une fois
Thélème ; sans doute, la règle « fais ce que veux » se trouvait-
elle complétée d'un « si la dame de céans n'en dispose pas
autrement », mais cette réserve n'en laissait pas moins large
marge. Les mauvaises langues y pouvaient aisément voir
du désordre. *Rien n'était réglé,* prétend Mme de Boigne,
*personne ne savait où on devait se trouver, se tenir, se réunir... Toutes
les chambres des uns et des autres étaient ouvertes. Là où la conversation prenait on plantait ses tentes et on y restait des heures, des
journées. Causer semblait la première affaire de chacun...*

Toutes ces causeries ne se perdaient pas, que liaient en
guirlandes d'autres causeries, à la promenade, au concert,
aux repas. (Ils étaient souvent de trente couverts, et l'on

comptait aux seules cuisines une quinzaine de domestiques.) *Cette société continue, cette distraction perpétuelle*, grommelait Benjamin. *Il se dépense plus d'esprit à Coppet en un jour que dans maints pays en un an*, assurait Bonstetten. La dépense ne fut pas vaine. Les grands jours de Coppet ont vu naître des œuvres et des vocations, des systèmes littéraires et politiques, et bien plus encore : un esprit.

Paysage mis à part, le décor peut bien avoir moins de brillant que l'assistance : *Je n'ai jamais rien vu de plus laid, de plus sale, de plus mal tenu*, dira le prince Clary, *de vieux meubles en damas, des chaises en crasse et en lambeaux; on n'a pas idée de cela!* Mais dans ce temple un peu miteux, ou simplement fatigué, on célèbre un culte qui, pour la châtelaine, se confond avec celui de la liberté, un culte du souvenir.

M. Necker règne partout en effigie, son cabinet de travail l'attend, son manteau posé sur sa chaise. Rousseau, maître à sentir, est présent, par l'un de ses plus beaux portraits. Bien vivants, Constant, Montmorency doivent attester à toute heure que rien n'a changé, ne s'est cassé depuis Mézery. Comme à Mézery, on s'écrit toujours d'une porte à l'autre. Du salon, le buste de Bonaparte a pourtant disparu.

L'empereur prétendait qu'on sortait toujours de chez Mme de Staël moins attaché à lui qu'on y était entré. *Il me craint*, constatait Germaine, *c'est là ma jouissance, mon orgueil, et c'est là ma terreur*. Elle la surmontait sans trop de peine, ou bien plutôt elle l'oubliait. A Sainte-Hélène Napoléon encore exprimait son dépit : *Sa demeure de Coppet était devenue un véritable arsenal contre moi; on venait s'y faire armer chevalier*. Et de fait, Coppet ne se contentait pas d'être dans l'opposition, il en représentait la capitale intellectuelle, le centre nerveux (oh! combien). A mi-chemin de ce qu'on devait, beaucoup plus tard, appeler l'émigration intérieure et la résistance, Coppet ne se bornait pas à héberger l'émigration; chaque jour un peu plus il incarnait la résistance.

Exagérait-il, Sismondi, quand il appelait le phalanstère de Coppet *cette lanterne magique du monde* ? Ou Auguste de Staël, le fils aîné du château, quand il nommait l'heure des départs *la dispersion générale des peuples* ? A peine. La serre de Coppet n'allait pas seule-

ment voir pousser l'esprit cosmopolite et l'esprit libéral; pour l'Italie, pour l'Allemagne, c'est d'un certain esprit national qu'elle devait vigoureusement favoriser la croissance. Avec toutes ses contradictions déjà, c'est bien l'esprit européen qui y allait éclore. Devant le fils de l'exilée, l'empereur se targuait de lui avoir laissé *l'Europe pour prison*. A tant d'autres prisonniers, elle allait donner un nouvel espoir. C'est Stendhal, qui n'y vint jamais, qui a trouvé le mot juste: de 1804 à 1816, se sont tenus à Coppet *les Etats généraux de l'opinion européenne*.

Il y avait la « colonie ». Il y avait les hôtes illustres. Parmi ceux-ci, il faut citer le prince Auguste de Prusse, neveu du grand Frédéric, qu'accompagnait un officier dont le nom allait devenir fameux, Clausewitz. Le prince ne tarda pas à signer avec Mᵐᵉ Récamier des pactes à la mode de Coppet. Mais ce n'est pas à ces fragiles engagements que faisait allusion la presse aux ordres, quand elle l'accusait d'avoir puisé dans cette résidence de mauvais principes auprès de mauvais esprits...

A côté de la colonie, à côté des hôtes illustres, il y avait encore les passants, trente à quarante aux meilleurs moments. Les passants se comptaient en deux classes: les voisins et les étrangers. Tous de distinction, mais qui n'avaient pas leur place marquée. De l'historien Jean de Muller à Chamisso, de Mᵐᵉ Vigée-Lebrun à Mᵐᵉ de Krüdener, d'Oehlenschlæger, poète national du Danemark, à Zacharias Werner, dramaturge aberrant, ils se voyaient, suivant leurs titres, faire seulement les honneurs du château ou bien retenir. Pour garder un passant sous son toit, un des moyens les plus habiles de la baronne était de lui offrir un rôle dans son prochain spectacle. Car la rage du théâtre, en 1807, l'avait reprise.

Voltaire revint à l'affiche. Et Racine avec *Phèdre*. La distribution donne une juste idée de la cour de Coppet. Phèdre: Germaine de Staël, qui le joue de toute son âme. Oenone: Mᵐᵉ Odier, de Genève. Aricie: Juliette Récamier, dans son meilleur rôle. Ismène: Albert de Staël, le fils cadet; Hippolyte: le comte Elzéar de Sabran; Thésée: Guiguer de Prangins, un voisin donc... Ces spectacles obtenaient un prodigieux succès.

Coppet, la bibliothèque, qui servait de salle de spectacle.

Les tréteaux étaient montés dans la galerie du château, qui donne sur la terrasse et où se trouve aujourd'hui la bibliothèque. La salle pouvait contenir 200 personnes. On en recevait 300. Aussi la plupart des hommes devaient-ils se tenir debout, et jusqu'à sept heures d'affilée: une heure et demie à deux heures avant le lever du rideau, la galerie était déjà comble, et l'on donnait toujours deux pièces: jusqu'à huit actes! Il est expédient de partir pour Coppet de bonne heure, note un invité philosophe, *afin que nous et nos chevaux soyons convenablement placés.*

Obtenir des invitations était d'ailleurs très difficile. Il fallait être introduit par un ami de la maison et, après le spectacle, une visite de remerciement était de rigueur. Car la cour de Coppet avait son protocole, à la fois princier et bonhomme. Ainsi, les dames qui espéraient être présentées à la châtelaine devaient précisément porter une toilette de cour. Mais lorsque aux entractes on servait des rafraîchissements, comme il était impossible de circuler, des laquais postés sur la terrasse tendaient par les fenêtres, au bout de longues perches, des plateaux suspendus à des cordes. A la sortie, Mme de Staël se tenait debout, près de la porte. Les spectateurs s'inclinaient. La châtelaine riait, riait sans cesse.

Le sommet de cette saison théâtrale ne peut être qu'*Andromaque*, avec Juliette Récamier dans le rôle de tête, Mme de Staël en Hermione et Constant dans Pyrrhus. A l'exception du comte de Sabran, toutes les autres parties étaient distribuées à des membres de la tribu Constant. Car la première eut lieu, non pas à Coppet, mais à Lausanne, à Ouchy plutôt. Au début d'août 1807, Germaine avait en effet quitté soudain son château pour s'installer avec ses hôtes dans la « grande maison Montagny ». C'est aujourd'hui encore, sous le nom de l'Elysée, l'une des plus belles propriétés de ces rives. Mais Germaine n'avait pas souhaité changer simplement de décor: elle avait suivi Benjamin, qui fuyait.

Dès le début de 1807, Constant avait revu Charlotte à Paris et s'était fortifié dans son projet de l'épouser. Clandestinement, Mme de Staël s'était à son tour risquée dans la capitale. Mal lui en prit. *Ne laissez pas approcher de Paris cette coquine*, avait ordonné l'empereur. *Mon intention est qu'elle ne sorte jamais de Genève.* Fouché l'y renvoya.

En retournant à Coppet, comme le pigeon de La Fontaine, avec mes ailes éclopées, je vis l'arc-en-ciel se lever sur la maison de mon père; j'osai prendre ma part de ce signe d'alliance, devait écrire la «coquine», lors d'un nouvel exil plus cruel que les autres. Le vit-elle déjà ce jour-là? Corinne parut. Son succès fut instantané, universel. *Corinne* devait être comprise dans la nouvelle alliance, Constant ne l'était pas.

Il se refusait à gagner Coppet. Il fallut l'y faire amener. La scène d'accueil fut effroyable. On a peine à croire qu'elle ait eu pour cadre le parc du château, admirable de sérénité, avec ses lignes un peu floues, demeurées quasi paysannes, et la grande pelouse qui, malgré sa pièce d'eau, se souvient des faucheurs. A peine arrivé, Constant profita d'une expédition de la cour au mont Blanc pour se sauver à Lausanne. Six jours plus tard, Mᵐᵉ de Staël s'installait au Petit-Ouchy *.

L'intervention des dames Constant — la tante Nassau, l'exquise cousine Rosalie — multipliait les scènes, sans rompre pour autant l'ordonnance des dîners et des soirées où les deux camps se retrouvaient gaiement. Est-ce à la suite d'une de ces scènes que Germaine usa envers Benjamin de sa vieille astuce, lui offrir un rôle? *Andromaque* fut annoncée, mise en répétition. Où les hôtes de Mᵐᵉ de Staël s'apprêtaient à voir l'inexorable Hermione, Benjamin lui donnant la réplique n'apercevait plus, son journal l'atteste, qu'un *vieux procureur avec des cheveux entortillés de serpents et demandant l'exécution d'un contrat en alexandrins.* Tel était l'odieux revers des grandes draperies, or et pourpre, de Coppet.

Le choix de la pièce surprit péniblement Lausanne. Pouvait-on, sous le couvert de la tragédie, mettre ainsi sa situation au grand jour? Constant y trouva un plaisir amer qui se reflète dans ses notes intimes.

*J'épouse une Troyenne; oui, Madame: et j'avoue
Que je vous ai promis la foi que je lui voue.*

Portrait prétendu
de Mme de Staël
dans le rôle d'Hermion

D'une telle confidence, sur la scène et dans la salle, seule Hermione-Germaine pouvait savoir déjà quelle menace elle recelait.

> *Porte aux pieds des autels ce cœur qui m'abandonne;*
> *Va, cours. Mais crains encor d'y trouver Hermione.*

Seul aussi Benjamin-Pyrrhus pouvait savoir à quel point cette menace-là était réelle, tant du fait de son amie que par la faute de son propre cœur.

A peine les applaudissements s'étaient-ils tus, Germaine repartit pour Coppet. Benjamin l'y suivit, fort résolu: qu'elle lui donne enfin sa main ou son congé. En réponse, Germaine fit venir ses enfants et leur précepteur, et désignant Benjamin d'un geste, dont on peut être assuré qu'il fut digne d'Hermione, leur dit:

— *Voilà l'homme qui me met entre le désespoir et la nécessité de compromettre votre existence et votre fortune !*

Constant sut encore répliquer:

— *Regardez-moi*, dit-il, *comme le dernier des hommes si j'épouse jamais votre mère !*

Sur quoi Mme de Staël, renonçant aux menaces ordinaires, toujours à terme et conditionnelles, feignit un impossible suicide au mouchoir. C'en était trop. Benjamin eut un mot tendre. Il avait perdu la partie.

Le lendemain déjà il est pourtant de retour à Lausanne. Il a fui, il se cache. A Chaumière, une maison de campagne toute proche de Saint-François, aujourd'hui disparue, chez Rosalie, qui raconte la scène:

Benjamin commençait à se tranquilliser, lorsque nous entendîmes des cris dans le bas de la maison. Il reconnaît sa voix. Mon premier mouvement fut de sortir de la chambre en la fermant à clé. Je sors, je la trouve à la renverse sur l'escalier, le balayant de ses cheveux épars et de sa gorge nue, criant:

— *Où est-il ? Il faut que je le retrouve.*

Je veux dire qu'il n'est pas ici. Elle vient de le chercher en ville. Ma tante la relève, la mène dans une chambre. Pendant ce temps, Benjamin frappe à la porte du salon. Il faut que je lui ouvre. Elle l'entend, accourt, se jette dans ses bras, puis retombe à terre en lui faisant des reproches sanglants. Je lui dis:

— Mais quel droit avez-vous de le rendre malheureux, de tourmenter sa vie?

Alors elle m'accable des plus cruelles injures qu'elle peut imaginer.

Quel droit, en effet? La question qui nous presse, nous, est autre. Comment Germaine, si véritablement sensible à la douleur des autres, pouvait-elle le torturer de la sorte? *Toute autre*, constatait Benjamin, *à la vue du malheur que j'éprouvais, se serait fatiguée d'en être cause*. Elle n'y pense pas. Ces deux êtres « homogènes » — le mot est lourd, mais juste — diffèrent sur ce point: il ne sent que la douleur qu'il inflige; cette douleur-là, elle ne la sent pas du tout. Elle se repose de son bonheur sur les autres: c'est son dû, quoi qu'il leur en coûte. Pour Benjamin, dans cet ordre du sentiment, tout est problème. Pour elle, il n'y en a pas. Benjamin sent toujours qu'il a tort. Germaine sait qu'elle a toujours raison.

Quel cœur de fer eût résisté? se contenta de demander Benjamin en repartant pour Coppet. On reprit *Andromaque*, il joua mal.

Malgré ses succès — *jamais Hermione n'a été jouée avec tant de vérité et de fureur*, disait Lausanne — ou peut-être à cause d'eux, Mme de Staël prenait de l'opium. Il fit, lui, une cure de piétisme. (Les quiétistes de Lausanne et sa propre tribu lui en donnaient l'occasion.) S'en trouvant mieux, il trouva une distraction: adapter *Wallenstein*, de Schiller, à la scène et au vers français. (On n'en lit plus que la lucide préface-manifeste.) Faire des vers le remonte. Et comme Mme de Staël s'apprête à passer l'hiver à Vienne, il voit dans ce projet son salut et la preuve que le Ciel vient au secours de qui sait se résigner.

Les adieux se firent à Lausanne. Ils demandèrent quatre jours. *Quiconque m'eût observé eût été persuadé que je l'aimais plus que jamais*. Et voici Constant tout entier: *Il en était ainsi à beaucoup d'égards*. Dans *Cécile*, ces adieux tiennent en une page, mais admirable, d'une

Lausanne, la Cité, le lac et la Savoie (à gauche, un facteur remettant une lettre), aquatinte de Siegfried.

Le château de Coppet au clair de lune.

pénétration et d'une aisance dans l'analyse à peu près sans égales. *L'approche de ma liberté diminuait l'amertume de mon esclavage. Je regrettais le charme dont j'allais ne plus jouir. Certain que je serais bientôt rendu à moi-même, je me livrais avec sécurité à des mouvements de tendresse d'autant plus vrais qu'ils étaient sans conséquence.*

Ces adieux n'en eurent pas plus. Ce ne pouvaient être les derniers. Six mois d'absence et trois cents lieues ne devaient pas suffire à rompre ces tristes liens. Au printemps suivant, Benjamin reçut une lettre de Vienne. *Je reviens avec le même attachement pour vous, un attachement qu'aucun hommage n'a effleuré!* (C'était une impudente interprétation des faits.) *Mon cœur, ma vie, tout est à vous, si vous le voulez et comme vous le voulez, pensez-y!*

Eût-elle pu le retenir, la lettre arrivait bien tard. Le 5 juin 1808, à Brévans dans le Jura, résidence de son vieux père, Benjamin Constant épousait très secrètement Charlotte, ou plus exactement Georgine-Charlotte-Augusta de Hardenberg, née en 1769, fille d'un diplomate hanovrien, filleule du roi d'Angleterre, un beau parti, malgré ses deux divorces, dont la famille venait au surplus de se rallier à l'Empire. Puis, marié d'un mois, Constant partit... pour Coppet.

Germaine y était revenue tout embellie, disait-on, malgré la quarantaine cette fois bien sonnée, et presque satisfaite de se retrouver sur les bords du Léman. Pour un peu, à travers ses amis, à travers son bonheur ou plus souvent son malheur qui le lui cachaient d'ordinaire, elle aurait vu le paysage : *Coppet, ce soir, était d'une grande beauté ; j'ai regardé cette lune qui se réfléchissait comme une colonne de feu dans le lac...*

Pour que Mme de Staël s'attarde à un paysage, peut-être l'a-t-on remarqué ? il lui fallait jusqu'alors être violemment émue. Que les Parisiens arrachent le roi de Versailles, la rare beauté du temps, la douceur de l'air et du soleil d'automne la frappent aussitôt ; qu'à Beaulieu sa mère vienne de mourir, les Alpes soudain se dressent devant elle, éclairées par les plus beaux rayons du matin, cependant que passe un léger nuage ; qu'un gendarme s'approche pour lui signifier son décret d'exil, elle n'oubliera plus le jardin, le parfum des fleurs, l'éclat du soleil... Quand, un soir de juillet 1808, à Coppet, elle brosse ce romantique clair de lune, sent-elle donc venir la crise ? Ou bien, usée par les émotions, apprend-elle un peu *à vivre en société avec la nature* ?

Pour la bien voir, il lui avait fallu le choc le plus violent, ou bien la présence d'un être cher : *Je vous ai aimé et tout s'est animé pour moi ; l'enthousiasme se ranime par les regards et par l'union intime de l'âme avec les objets extérieurs.* (Cette union intime n'est pas précisément le programme d'un aveugle, l'aveugle au monde que beaucoup croient reconnaître en Mme de Staël.) Puis c'est, par contraste, l'absence qui va la frapper : *Les sapins couvraient les montagnes*, dit-elle d'une Ecosse qui ressemble pas mal à l'arrière-pays de Coppet, aux flancs du Jura, voire du Salève. *Tout était terne, tout était morne autour de moi et ce qu'il y avait d'habitations et d'habitants servait seulement à priver la solitude de cette horreur poétique qui cause à l'âme un frissonnement assez doux...*

L'horreur poétique, c'est encore le Jura qui la lui donnera. *J'ai traversé les montagnes qui séparent la France de la Suisse, elles étaient presque en entier couvertes de frimas; des sapins noirs interrompaient de distance en distance l'éclatante blancheur de la neige... La solitude, en hiver, ne consiste pas seulement dans l'absence des hommes, mais aussi dans le silence de la nature. Quand les arbres sont dépouillés, les eaux glacées, immobiles comme des rochers dont elles pendent; quand les brouillards confondent le ciel avec le sommet des montagnes, tout rappelle l'empire de la mort...* Et la description du voyage de Delphine s'achève sur ce tableau, ravissant dans sa simplicité: *En ce moment, des paysans passèrent, ils me virent vêtue de blanc au milieu de ces arbres noirs...*

Longtemps, Mme de Staël paraît ainsi ne connaître que deux sortes de paysages, ceux que la vie enchante, ceux que désole la mort. L'âge, qui lui fait aimer de plus en plus le soleil, l'expérience vont l'amener à goûter en eux un autre état d'âme. L'expérience, c'est-à-dire Constant.

Le mépris de Benjamin pour les curiosités de la nature rejoint, au moins, celui que manifeste volontiers Germaine. *Je n'ai aucune humeur réelle contre les montagnes, parce que je n'en ai point contre les inconnus*, prétend-il. Mais il sent le mystère du monde vivant. Bien plus, il sent vivre la nature. Jeune, il a cru entendre *une sorte de bruit qu'on aurait dit sortir des plantes.* En été, la nature *fait société* à qui sent en lui cette jeunesse. En hiver, si triste soit-elle, elle exalte, pour qui a vécu, *l'immense bonheur de la solitude.* En toute saison, il l'a dit à Anna Lindsay, *la contemplation de la nature disperse les idées et leur donne un vague qui empêche de souffrir.* Est-ce là ce que veut dire Germaine quand, au rebours des foules qui l'ont proclamée indifférente, elle loue cette nature de posséder la qualité, qu'elle prise par-dessus tout, d'être « sensible », d'avoir du cœur? Dans sa magnificence, la nature est *la seule qui donne des fêtes sans offenser l'infortune.*

Mme de Staël a toujours aimé les bois, les arbres. (Ceux de Coppet, elle les appellera *les témoins de sa destinée.*) Elle qui ne déteste pas de lire des signes dans le ciel, voici qu'elle

Le dernier bâtiment subsistant de l'auberge Dejean à Sécheron, près Genève.

déchiffre dans un bosquet une leçon. Les arbres se laissent aller sous le vent, sans résister, ni même se plaindre. Les saisons passent sans qu'ils se plaignent plus; ils s'oublient, alors que Delphine ne peut s'oublier. *L'aspect de la nature* — le thème revient dans *Corinne* — *enseigne la résignation*. On retrouve ce thème ailleurs: *Le ciel était serein, mais les arbres étaient sans feuille; aucun souffle n'agitait l'air, aucun oiseau ne le traversait: tout était immobile, et le seul bruit qui se fît entendre était celui de l'herbe glacée qui se brisait sous nos pas. — Comme tout est calme, me dit Ellénore; comme la nature se résigne! Le cœur aussi ne doit-il pas apprendre à se résigner?*

Ellénore! L'héroïne d'*Adolphe*, le double de Germaine. On a reconnu l'auteur, et son modèle. Ou bien, écrivains, Constant et Mme de Staël puiseraient-ils au même fonds de souvenirs? Seraient-ce, comme on l'a supposé*, les automnes de Coppet, la chute des feuilles dans le parc, le silence des grèves qui leur ont inspiré à tous deux ce même thème romanesque, cette même image d'une nature exemplaire, qu'ils ont si bien sentie et rendue?

Mais, pour l'heure, c'est l'été de 1808, et la résignation nul n'y songe, ou du moins pas Germaine.

Confiante, Charlotte avait donné à Benjamin, après leur mariage secret, quatre mois pour se déprendre de la baronne et préparer sa famille lausannoise — aussi ignorante de tout que Mme de Staël — à l'arrivée de cette parente au passé un rien mouvementé. En attendant, l'épouse voyageait en Suisse, passait sous Coppet, ce dont un billet tendre avertit son mari, s'installait à Sécheron, auberge fameuse aux portes de Genève. Benjamin lui donnait de brefs rendez-vous clandestins. Germaine, elle, poussa jusqu'à Sécheron, jusqu'à Genève où Charlotte se ménagea le plaisir de briller à ses yeux dans un salon de la rue des Granges. Mais la visite ne fut pas rendue. Toujours abusée, Germaine flairait pourtant un mystère. Cela priva Charlotte de voir son mari sur les planches. Il tenait cet été-là un rôle de prophète dans la *Sunamite*, un drame biblique et familial de la maîtresse de maison, duquel il vantait la couleur locale! S'il gardait en scène, comme cela lui arrivait, ses lunettes vertes, il n'y devait guère contribuer.

Le drame tournait au vaudeville. Au château, encouragés par Mme de Krüdener, Germaine et Benjamin poursuivaient des lectures mystiques. Sous des noms qui n'étaient plus les siens, Mme Constant papillonnait à travers la Suisse, s'ennuyait dans le Jura, attendant les courtes visites de son mari. Elle n'avait pas plus annoncé son mariage à Du Tertre, son précédent époux, que Benjamin à Mme de Staël. Quand en décembre

A Sécheron, sur l'emplacement de l'auberge.

Genève, place de la Taconneri‹
l'immeuble Lullin, où vécut Mme de Staë‹
est le second à droit‹

Germaine prit ses quartiers d'hiver à Genève, place de la Taconnerie *, et Benjamin la route de France, rien encore n'était dénoué.

1809 devait amener un sursaut. Au printemps, Constant et sa femme se dirigèrent vers la Suisse. Charlotte, qui avait beaucoup de finesse, de patience et de courage aussi, avait su amener Benjamin à reconnaître que Mme de Staël devait apprendre la vérité entière. Pour plus de sûreté, elle se chargeait elle-même de la lui apprendre.

Ils s'installèrent donc à Sécheron, mais Constant disparut promptement à Ferney, cependant que Charlotte usait pour attirer Germaine d'une astuce efficace: elle signa de tous ses titres allemands.

— *Je suis venue parce que vous êtes une Hardenberg!* avoua la baronne en arrivant à dix heures du soir à l'auberge. A quatre heures du matin, elle savait tout, sauf l'endroit où se cachait Benjamin, et la patience de la grande dame allemande l'avait *presque forcée à être douce...*

Nous sommes devant elle comme de pauvres bêtes devant le serpent à sonnette. Sitôt qu'il ouvre la gueule, elles se précipitent dedans. Charlotte savait de quoi elle parlait. En face de l'impérieuse châtelaine, elle, si résolue, avait cédé comme l'aurait fait son faible mari. Benjamin reprit sa place au château, captif comme devant, puisque le secret de son mariage restait entre Mme de Staël et lui. Confinée à Sécheron, Charlotte se plaignait doucement: *Le supplice de la roue, je l'aimerais mieux.* Avant de repasser le Jura, elle s'installa quelque temps à Nyon. Benjamin avait forgé un nouveau plan de fuite. Il fit mieux: il l'exécuta. Ce fut son propre fils que Germaine lança cette fois à sa poursuite, avec succès. *Notre destin*, demandait Charlotte, *sera-t-il toujours de faire ce qu'elle propose?*

Mᵐᵉ de Staël avait plus qu'une constance extrême dans ses attachements, constance que tous ses familiers ont notée. *Jamais elle n'a pu rompre avec personne; jamais elle n'a pu cesser d'aimer.* Mais du refus de la rupture à cette persécution, quel chemin! Il faut noter à la décharge du tyran que, Constant mis à part, tous ses amants et beaucoup de ses amis avaient abandonné Germaine. On n'en peut douter, à chaque nouvelle épreuve de sa recherche obstinée, désespérée, panique, du bonheur à deux, l'abandon était devenu plus profondément pour elle une obsession, une idée fixe, ce qu'elle nommait « l'absorbation », qui la menait au bord du délire. Son exigence stupéfie. Il faut l'imaginer, à la seule idée du départ de Constant, comme une grande malade, plus: comme une moribonde et qui supplie : — Encore une semaine de vie, Seigneur, encore un jour, encore une petite heure...

Je traîne des heures qui sont des jours, écrit-elle précisément en cet été 1809, dans une des rares lettres à Constant qui aient échappé aux autodafés, *et tout est mort en moi — amis, enfants, pensées, soleil, il n'y a là que des larmes de douleur. En vous revoyant, je croirai ressaisir la vie ! Toute mon âme retombe sur moi. Je me dévorerai jusqu'à ce que je meure.*

Ce fut Charlotte qui faillit mourir. Elle prit de l'opium, sinon à la dose, du moins à la mode de Coppet. Et Benjamin fut ramené au château. Sous le manteau, il évacuait ses papiers, ses manuscrits, ses livres. Plus secrètement encore, il menait un autre combat. Etait-ce pour elle ou pour le monde que Germaine avait exigé le maintien du secret? Puisque en tout cas elle avait refusé de s'incliner devant le fait même du mariage, il fallait tenter de la mettre en face de sa publication. Juste de Constant, le vieux général, prêta la main à cette manœuvre. Mais Mᵐᵉ de Staël n'était point novice à ce jeu cruel. Elle mit en doute la validité, l'existence même du mariage. Elle avait des intelligences partout, elle suscita partout des commérages. Puisque Benjamin échappait à ses armes, c'est le canon de l'opinion qu'elle braquait sur lui. Il le craignait plus encore.

L'automne venu, Constant fut relâché. Rompu. Il errait comme un insensé, pris d'une fièvre de douleur. Avait-il laissé s'allumer sa tête, ou bien les manœuvres de Coppet, qui maintenant paraissaient dresser jusqu'à son père contre lui, l'avaient-elles poussé à bout? Ou plus simplement encore *la sympathie funeste* qu'il conservait au fond du cœur, la *pitié déchirante* qu'il éprouvait pour Germaine l'ont-elles jeté dans cette *sorte d'agonie* qui le rend fou?

L'arrivée à Paris d'un cousin de sa femme, ministre du roi Jérôme de Westphalie, lui permit pourtant un pas de plus vers sa libération. Dans les derniers jours de 1809, le mariage de Benjamin fut publiquement ratifié. Bien plus, Constant put en même temps annoncer à ses alliées lausannoises que ses affaires d'argent avec Mᵐᵉ de Staël allaient enfin se trouver liquidées, bien que *soit comme amitié, soit comme vengeance et comme mélange des deux* la baronne ne demandât pas mieux que de le laisser son débiteur. En foi de quoi, moins de trois semaines plus tard, tout publiquement marié qu'il fût, Constant partait pour Genève, où Germaine avait pris ses quartiers d'hiver à l'hôtel des Balances*, et Coppet. Ce qu'il ne disait pas, c'est qu'il n'avait pu quitter les bords du Léman en novembre que contre promesse écrite de les avoir rejoints le 1ᵉʳ février 1810... Quand enfin il regagna Paris, où se préparait, grandiose, un autre mariage, celui de Napoléon et de Marie-Louise, ce fut Germaine qui le suivit. Dans un château près de Blois, elle réunit encore une fois toute sa cour, dont Benjamin. Elle mettait la dernière main à son ouvrage sur *L'Allemagne*. Il devait, croyait-elle, lui rouvrir Paris. Il fut mis au pilon et lui valut l'ordre de quitter la France sous dix jours.

Benjamin pourrait-il rester insensible devant cette sentence d'exil? Germaine lui demanda de la rejoindre en chemin, à Briare. Il s'y précipita, mais avec Charlotte. Mᵐᵉ de Staël conserva de cette entrevue, qui fut tragi-comique, l'assurance que Constant l'aimait toujours. Mais c'est avec Charlotte qu'il repartit.

Mᵐᵉ Constant l'avait emporté.

A peine rentré à Paris, M. Constant se mit à la table de jeu et y perdit sa maison de campagne. Mᵐᵉ de Staël, à Genève, montra sur soi plus de maîtrise. Les Genevois ne purent que constater qu'elle était aussi vive et brillante que jamais.

XI

LES ADIEUX DE LAUSANNE — 1811

A Genève, Mme de Staël prit logis cet automne-là à la Grand'Rue, rue principale sans doute, assez longue, mais bien étroite aussi, qui suit comme le creux de l'échine la colline de la Cité *. L'hiver y fut dur, les Genevois froids. Parce qu'elle avait entraîné la disgrâce et le renvoi du préfet Barante — elle qui s'était précisément installée tout à côté de la préfecture! — ils n'étaient pas loin de penser qu'elle attirait le malheur sur leur ville.

M. et Mme Constant, eux, se trouvèrent bien à Lausanne où ils s'installèrent en janvier, place Saint-François, tout près de la maison natale de Benjamin **. Etait-ce ce voisinage, ou bien Constant était-il plutôt résolu à jouer à la fois l'enfant prodigue et l'heureux jeune marié? Toutes les agitations des époques précédentes s'effacent... On leur fait des caresses. Bref, il est impossible d'avoir plus à se louer d'une ville que ces époux de Lausanne. Après cinq jours pourtant le ton change déjà: *Lausanne en tout n'est pas gai!*

Constant *fait le mari de façon affectée*, observa bientôt Germaine. Benjamin, seul d'abord, puis avec Charlotte, s'était en effet rendu à Genève. Probablement contraint: son père l'y avait entraîné, peut-être manœuvré par Mme de Staël. Le vieux général réclamait soudain à son fils toutes les fortunes qu'il s'était, autant que lui, ingénié à perdre. *Nous sommes une terrible famille*, remarqua simplement Benjamin et, dans un carnet qui, en deux pages, résume quarante-cinq ans de vie, il ajouta plus tard ceci: *Luttes contre mon père, contre Charlotte, contre Mme de Staël. Vie misérable.* Puis ceci encore: *Mme de Staël me ramène jusqu'à Coppet, c'est la dernière fois que j'ai vu Coppet.*

La phrase est longue, dans ces notes réduites à des noms, des dates, des repères isolés. Ou bien serait-ce ce Coppet deux fois répété? Toujours est-il qu'à l'oreille attentive, elle rend un son particulier, plus grave que triste, quasi solennel. *La dernière fois...* Dans cet accord presque final, nul sanglot, nul attendrissement, mais, irrémissible, la note sèche du destin. C'est ici qu'il nous faudra, bientôt, prendre congé de Mme de Staël et de Benjamin Constant.

Sans doute se reverront-ils. Mais après quels délais, et quels détours! M. et Mme Constant partent pour l'Allemagne. C'est pour l'Autriche que partira, un an plus tard, Mme de Staël.

La proscription frappait les hôtes anciens de Coppet: Mathieu de Montmorency, Juliette Récamier, Schlegel même furent ainsi victimes de la hargne impériale. Mais le château avait un nouvel hôte et la baronne redonnait à jaser aux Genevois. Elle avait si bien permis à un jeune officier, vingt-trois ans, cinq balles dans le corps, de l'aimer, qu'au mois de mai 1811, devant un pasteur et dans le plus profond secret, John Rocca, d'une ancienne famille genevoise, et Germaine de Staël se promirent le mariage dès que les circonstances le permettraient et vécurent bientôt, toujours en secret, comme si elles l'avaient permis. A l'hiver, on regagna la ville. Germaine s'installa au pied de la Cité, à la Corraterie *, dans un immeuble disparu depuis. Au printemps de 1812, dans un secret plus profond que jamais, elle donna le jour à un fils, son cinquième enfant. Moins de deux mois plus tard, elle partait pour Vienne avec Albertine, sous prétexte d'une promenade printanière en voiture découverte. Ces dames n'avaient pour bagages que leurs éventails... Germaine n'avait pu supporter de rester *en faction devant le tombeau.*

Napoléon s'engageait dans la campagne de Russie. D'Autriche — sous le nez de l'Empereur, mais hors de sa portée — Mme de Staël allait prendre la même direction. La Russie ne représentait d'ailleurs pour elle qu'une étape: son but était l'Angleterre.

Il lui fallut une année, mais elle l'atteignit. En chemin, elle rencontra le tsar, par deux fois, puis traita avec Bernadotte à Stockholm *. Tous les salons du continent reconnurent son autorité, en répétant qu'il y avait en Europe trois Grandes Puissances, l'Angleterre, la Russie et Mme de Staël... Les journaux anglais la proclamaient la première femme du monde. Il y avait là de quoi satisfaire la fille de M. Necker. Le 12 mai 1814, après l'abdication, elle rentrait à Paris. Benjamin l'y avait précédée.

Aussi bien n'étaient-ils pas restés durant ces trois ans sans nouvelles l'un de l'autre. Du fond de ses bibliothèques allemandes, Constant suivait anxieusement celle qu'il nommait « la voyageuse ». Il regrette presque aussi fort, presque aussi souvent d'avoir rompu qu'il hésitait naguère à rompre. Un soir d'hiver, dans son trou, *capot de sa vie*, il note: *Coppet* dans son journal — comme il y note les anniversaires de l'interminable rupture — puis: *débris épars d'un passé fini.* Fini? Il songe lui aussi à passer en Angleterre et Germaine, de loin, le fouaille. *Enfin que faites-vous de votre rare génie?*

Depuis deux mois, je n'ai rien reçu de vous, depuis deux ans, je ne vous ai pas vu. Je puis bien vous le dire, vous avez laissé échapper une belle carrière, sans parler de tout le reste... J'ai toujours des lettres de vous auprès de moi, je n'ouvre jamais mon secrétaire sans les prendre à la main; je contemple l'adresse. Tout ce que j'ai souffert par ces lignes me fait frissonner, et pourtant je voudrais en recevoir de nouveau. Est-il possible que vous ayez ainsi tout brisé? Est-il possible qu'un désespoir comme le mien ne vous ait pas retenu? Non, vous êtes coupable et votre admirable esprit me fait encore illusion! Adieu...

Et quelques mois plus tard: *Je ne voudrais pas mourir sans vous avoir revu. Mais je voudrais mourir après, car vous m'avez détruite jusqu'au fond de l'âme et vous me détruirez encore...* Ces appels étaient entendus, de loin. En 1813, Germaine recevra de Benjamin une lettre *plus passionnée que dans les temps où il l'aimait le plus.*

L'ambition le reprend; il reprend la vie active. A la Constant, en écrivant. Ce sera l'admirable *Esprit de conquête*, dont l'idée lui est venue à Brunswick, pendant qu'à Leipzig se livrait la bataille des nations. Il l'écrit en quelques jours. Comme *Adolphe*, c'est un de ces petits livres qui traversent les siècles. Beaucoup lui ont dû, pendant la dernière guerre, de ne pas perdre l'espoir. Il en a vengé d'autres: *Certains gouvernements, quand ils envoient leurs légions d'un pôle à l'autre, parlent encore de la défense de leurs foyers; on dirait qu'ils appellent leurs foyers tous les endroits où ils ont mis le feu.*

Mai 1814. Retrouvailles à Paris. *Elle a changé, est maigre et pâle. Je ne me suis laissé aller à aucune émotion. A quoi bon?* Cela n'empêche pas Constant de dîner presque tous les jours chez Mme de Staël, pour Albertine, estime-t-il. Germaine *est distraite, presque sèche, pensant à elle, écoutant peu les autres, ne tenant à rien, à sa fille même que par devoir, à moi pas du tout.* Elle, qui l'avait conquis par ses éloges, ne le loue plus: *on voit bien qu'elle ne m'aime plus... C'est un grand poids de moins dans ma vie que de l'avoir revue. Il n'y a pas d'incertitude sur l'avenir, car il n'y a pas trace d'affection en elle.* Bientôt, Germaine se montre presque aussi désabusée: *Il y a une absence de tout dans ses rapports avec moi...*

Et Mme de Staël — doux retour des choses — sans contrainte part pour Coppet. *Elle croyait*, relève le fidèle Sismondi, *si elle pouvait jamais habiter Paris, ne pas dépasser les barrières, et voilà que cet attrait de la Suisse, qu'elle sentait quoiqu'elle n'en voulût pas convenir, la rappelle déjà.* Sismondi ne se trompe pas: *Coppet m'est devenu bien cher*, avoue Germaine. *Je regrette Coppet, même pour sa solitude. Coppet se présente à moi toujours sous des couleurs plus douces*: c'est la revanche de tout ce pays du Léman.

Constant en subit une autre, infiniment plus dure, celle des femmes. Une femme va venger toutes celles qu'il a pu faire souffrir: Juliette Récamier. Il connaît, dévorante, sa dernière passion. Jamais il ne parviendra même à retenir plus d'un instant ce joli *nuage sans mémoire*. Ce sera la plus folle partie de cette vie sentimentale qu'il a toujours menée comme un joueur. Il la perdra. Il en perd publiquement une autre. Quand Napoléon débarque au golfe Juan, Mme de Staël se réfugie à Coppet, puis, comme si les réflexes paternels remontaient en elle, plus loin, à Lausanne et — s'en doute-t-elle? — dans une grande maison * qui fit partie de l'héritage de Constant, qu'il vendit pour prendre rang à côté d'elle à Paris. *Mon Benjamin* — mais dans quel rêve vit-elle encore? — *est resté*

Lausanne, le temple de Saint-François, le lac et le Jura vus de la maison Constant à Derrière-Bourg.

Benjamin Constant.

à Paris, écrit Germaine à Talleyrand. Napoléon se dit libéral, Constant va tenter de le prendre au mot. Il rédigera pour l'Empereur repenti l'Acte additionnel, cette constitution que les Parisiens baptisent la Benjamine. Waterloo mettra fin, pour longtemps, à ses rêves d'ambitieux, tout en le délivrant aussi d'un cauchemar.

　　Une fois de plus en effet, Germaine et Benjamin s'étaient affrontés, atrocement. Le retour de l'île d'Elbe avait brutalement arrêté la chasse au trésor que menait depuis si longtemps la baronne: l'espoir s'envolait une fois de plus de récupérer les millions Necker, et bien mal à propos, au moment où Albertine allait se marier, épouser un duc. Qu'à cela ne tienne! Constant n'a-t-il pas des devoirs envers la jeune fille et sa mère? Qu'il paie!

Mᵐᵉ de Staël en 1813,
crayon de Thomas Phillips.

La moitié par exemple de la dette qu'il a reconnue lorsqu'en 1810 il a acheté sa liberté... Constant se dérobe. Mᵐᵉ de Staël menace. Est-ce la guerre ? Il la fera volontiers.

Des deux côtés, les moyens sont bas. (Il est vrai qu'on se borne à s'en menacer.) Mais les injures, les reproches portent. Ils composent une double caricature, repoussante. (Ces lettres-là, c'est bien l'ironie du sort, ont surnagé!) Puis soudain le calme tombe. Avec les Bourbons revient l'espoir des millions. La querelle est enterrée, les deux adversaires acharnés n'en demeurent même pas brouillés.

Le mariage d'Albertine se fera. Ne fut-il pas qu'un prétexte ? Nul en tout cas n'a jamais compris comment Germaine, bonne calculatrice, entendait compenser la perte de

2 millions avec 40 000 francs. On sait en revanche qu'elle avait commencé à parler argent bien avant les Cent Jours, dès qu'elle eut constaté que Benjamin ne lui revenait pas. L'intrigue avec Juliette l'a poussée à bout. Il s'agissait bien de marier Albertine! Une fois encore, elle a tenté de ramener Benjamin, par la force. Une fois de plus, sans pitié, mais sans plaisir, elle l'a tourmenté. Une dernière fois, il a noté: *quelle furie!* Mais il n'est pas revenu.

La Germaine qui, après une halte de dix jours à Lausanne, passa l'hiver de 1815 en Italie, toucha bonne part de ses millions et maria sa fille, ressemblait fort, malgré ce double et difficile succès, à la Corinne de la fin du roman: *On ne sent plus rien vivement, que la tristesse.* Pour Benjamin, on lui avait fait sentir la nécessité de changer d'air, après sa tentative de marier l'Empire et le libéralisme. Par Bruxelles, il gagna l'Angleterre, où il se décida, à l'été de 1816, à publier *Adolphe.* Etait-ce encore un message, un signe lancé vers Coppet?

Alors que Londres et Paris — l'ouvrage parut presque en même temps dans ces deux villes — tout comme Genève et Lausanne reconnaissaient Mme de Staël dans l'héroïne, elle affecta de n'en rien croire. Même elle prêtait le livre à ses amis. Pour lui faire perdre ce calme méritoire et l'entraîner dans une cataracte de dénégations, il ne fallut rien moins qu'une provocation délibérée de Byron.

Car Coppet, en cet été-là, brillait de nouveaux feux. Derrière des fenêtres closes, hélas! L'été fut pluvieux, les récoltes maigres, le pain rare. *Les hannetons nous mangent,* disait un cousin Constant. *Il pleut, il pleut aussi des Anglais et lord Byron est du nombre.* Jusqu'en octobre, le château vit défiler les plus nobles insulaires, des seigneurs de tout le continent et à défaut de proscrits, des libéraux en foule; c'étaient les retrouvailles de l'Europe qu'on fêtait.

Byron venait en voisin. De Cologny, il n'avait que le lac à traverser. Il loua l'éloquence et la grande bonté de la châtelaine, il loua le séjour du château et, sur le paysage, il écrivit quelques vers admirables où figurait le nom de Germaine.

Benjamin Constant
en uniforme de député.

Ce fut la dernière saison de Coppet.

Au début de 1817, Mme de Staël, qui avait en Suisse secrètement épousé Rocca, fit une apoplexie. *Le passé est un spectre terrible quand on craint pour ceux qu'on a fait souffrir*, nota Constant. Germaine recevait encore. Quand, vers l'été, son état s'aggrava, on ne permit pas qu'elle revît Benjamin. Il ne lui fut donné que de veiller sa dépouille, le soir du 14 juillet 1817. Il ne l'accompagna pas non plus à Coppet, où elle repose aux pieds de Necker, dans le tombeau muré. A la veille de sa propre mort, Constant écrivit, magnifiquement, l'éloge funèbre de son amie: *Sa mémoire vit dans le cœur de tous ceux qui l'ont connue; sa gloire, dans l'esprit de tous les amis des idées nobles et généreuses, qu'elle a défendues avec tant de constance, au prix de son bonheur et de son repos...* Et ceci encore, qui fut vécu: *Même en s'éloignant d'elle, on était encore longtemps soutenu par le charme qu'elle avait répandu sur ce qui l'entourait; on croyait encore s'entretenir avec elle; on lui rapportait toutes les pensées que des objets nouveaux faisaient naître... Ses amis comptaient sur elle comme sur une sorte de providence.*

Quant à Constant, il lui arriva à cinquante-deux ans d'accéder à cette place qu'il avait tant convoitée et de la seule manière qui fût enfin digne de lui: il fut élu député, triomphalement. Il ne prit pas seulement la tête de l'opposition libérale, il se fit le maître d'école de la liberté. Maître admirable, au beau visage apaisé derrière ses lunettes à fine monture d'acier, qui pouvait écrire, tout à la fin de sa vie, sans risquer le moindre démenti: *J'ai défendu quarante ans le même principe, liberté en tout, en religion, en philosophie, en littérature, en industrie, en politique: et par liberté, j'entends le triomphe de l'individualité tant sur*

Vue des Quatre-Tilleuls, à la Chablière, près Lausanne.

l'autorité qui voudrait gouverner par le despotisme que sur les masses qui réclament le droit d'asservir la minorité à la majorité.

Journaliste, il connaissait les coups de la censure; homme public, on tenta contre lui de l'assassinat et de la prison; on lui enleva son mandat; Paris répara l'injustice, l'Alsace ensuite lui valut d'autres triomphes. Il était populaire. Seule l'Académie, jusqu'au dernier jour, se montra intraitable.

Son pays même et Lausanne, malgré la grande réputation « d'ultracisme » des indigènes, se montraient sensibles à sa gloire. Le plus vaudois des almanachs — le *Véritable Messager boiteux* — le citait avec Byron, Walter Scott, La Fayette, Talleyrand et Chateaubriand. C'était pour conclure avec fierté que *le siècle actuel, avec toutes ses gloires, semblait appartenir aux boiteux.* Benjamin, en effet, à la suite d'une chute en 1819, ne marchait plus qu'avec des béquilles. Il se battit même en duel, assis dans un fauteuil.

Lorsqu'en 1824 il fit un rapide séjour à Lausanne, la jeunesse prétendit lui donner une sérénade. Avec Charlotte, compagne patiente, il revit la Chablière, suivit l'Allée des Poètes jusqu'aux Quatre Tilleuls, et souhaita qu'on l'enterrât face à ce prodigieux paysage. Sa tombe alors aurait regardé vers Coppet... Il ne revint jamais en Suisse.

En 1830, quand un cortège conduit à l'Hôtel de Ville de Paris le futur roi des Français, Constant, qu'il faut porter en litière, est en tête, derrière des tambours. Louis-Philippe paya ses dettes et en fit un président au Conseil d'Etat. Il mourut, dans une clinique, le 8 décembre 1830, quinze jours après son dernier discours parlementaire. Il y défendait la liberté de la presse, tout comme il l'avait défendue lors de sa première et passionnée discussion avec Mᵐᵉ de Staël, un soir, à Rolle, en 1794...

Paris lui fit des funérailles ardentes, qui tournèrent presque à l'émeute. La ville entière fut debout. Les étudiants voulaient le conduire droit au Panthéon. Le cercueil de cet homme sans repos qui avait cassé tant de voitures sous lui fit se rompre le corbillard. Les étudiants durent se contenter de le porter sur leurs épaules au Père-Lachaise, cependant que, de toutes les fenêtres, tombaient sur ce cercueil des lauriers et des fleurs...

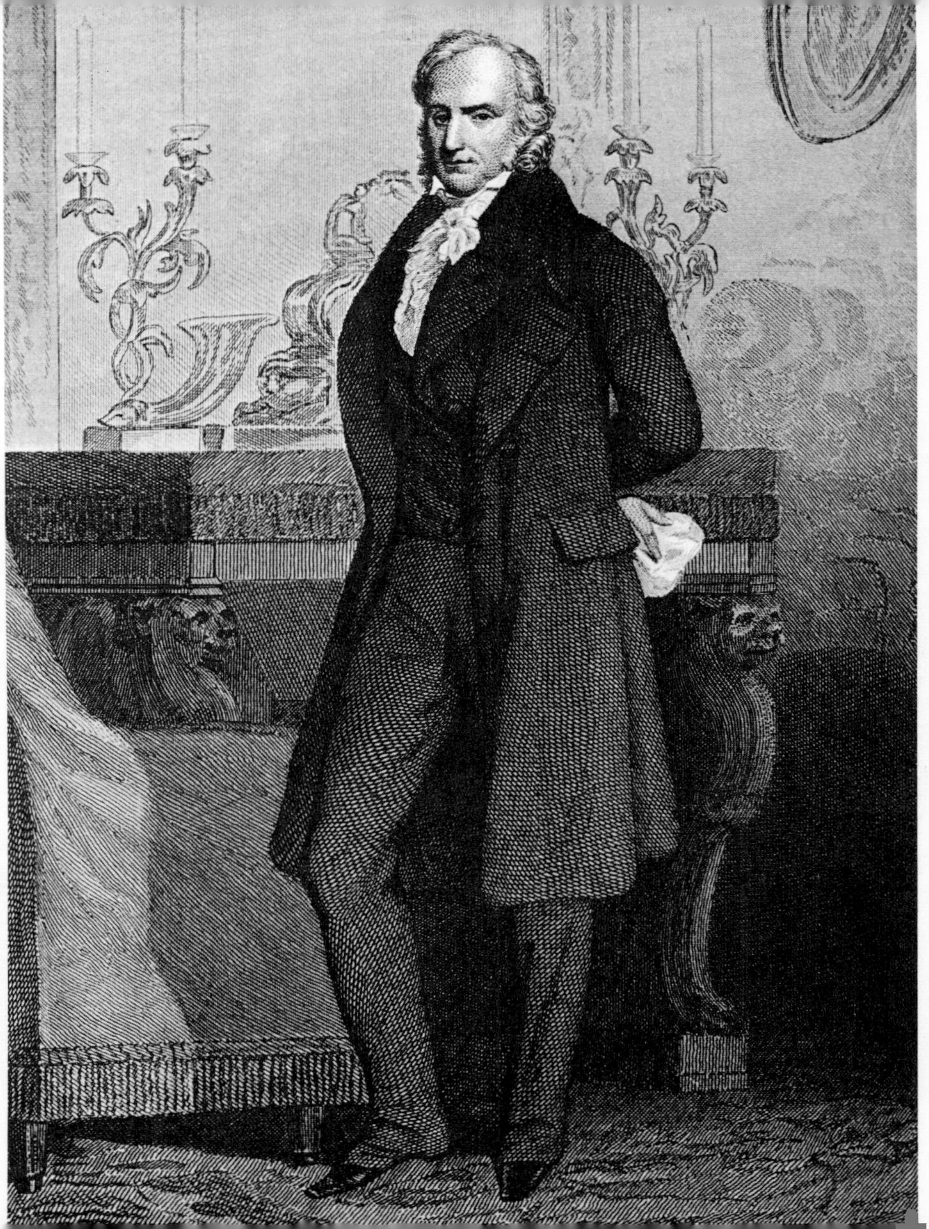

Benjamin Constant,
dessin de Pauquet,
gravé par Rosotte.

Coppet, la cour d'entrée.

John Rocca, par Louis Arlaud.

Mᵐᵉ de Staël me ramène jusqu'à Coppet, c'est la dernière fois que j'ai vu Coppet... La dernière fois, c'était vingt ans plus tôt, en 1811, au printemps; au mois d'avril probablement. Mois agité: l'assiduité de Benjamin auprès de Germaine déplaisait à Rocca, le promis secret, qui n'y comprenait rien. Un soir, après dîner, il invite Constant à cesser ou à se battre. C'est là une offre que Benjamin n'a jamais refusée; il termine la soirée en rédigeant son testament. Mᵐᵉ de Staël arrêta l'affaire. Mais lorsque Germaine se rendit à Lausanne pour prendre congé de Constant, le jeune officier récidiva. Benjamin, cette fois, repoussa poliment le défi. L'affaire était réglée. Il partait.

Ce congé qu'il avait durant tant d'années appelé de ses vœux ne serait pas arraché: Germaine y consentait. Le 7 mai, ils passèrent ensemble une dernière soirée. Ce qu'elle fut, nous l'ignorons. Nous ne savons même pas s'ils se trouvèrent en tête à tête. Mais Constant garda de cette soirée un souvenir assez profond pour que, plus tard, il en marquât l'anniversaire dans son journal.

Ils s'étaient rencontrés dans cette même ville, à Lausanne, dix-sept ans plus tôt. Depuis ce premier jour, ils avaient pu souvent se séparer. Ils ne s'étaient jamais quittés vraiment. Rendez-vous était toujours pris. Celui-ci était le dernier... Plutôt que du passé, parlèrent-ils de l'avenir? Pouvaient-ils se douter que, l'un sans l'autre, ils ne seraient jamais plus ce qu'ensemble ils avaient été, l'un par l'autre? Assurément, le succès, la gloire même leur viendraient. Sans doute Benjamin conserverait-il intact son rare génie, son étonnante conversation et, selon le mot de Germaine, les *grandes couleurs de sa vie*; sans doute garderait-elle son âme de feu, qui éclairait un monde toujours trop étroit pour elle, comme elle garderait, selon la juste image de Constant, *cet esprit mâle et fort qui dévoilait tout*. Plus jamais pourtant ils ne rencontreraient, ni l'un ni l'autre, l'interlocuteur unique, celui qui, sans rien rabattre de son propre génie, ferait flamber le génie de son répondant et naître le dialogue incomparable. A eux deux, ils avaient su *revêtir l'intimité d'une magie indéfinissable* et tenir la société sous leur charme. Désormais, leurs œuvres et leurs vies allaient prendre le ton et le cours du monologue. Leurs esprits, ce soir-là, se déprenaient après leurs cœurs.

De ce soir-là, du matin qui allait suivre, partiraient les chemins, démêlés, qui les mèneraient, elle plus vite, lui plus lentement, aux aveux de la fin. Elle écrirait alors: *J'ai aimé qui je n'aime plus, j'ai estimé qui je n'estime plus*, *le flot de la vie a tout emporté*... Et lui, à Béranger qui le plaisantait, lui disant qu'il finirait, au coin de son feu, par donner de la tête contre le marbre de la cheminée simplement pour se secouer, répondrait qu'*il ne jouait que pour cela*...

A Lausanne, en ce mois de mai 1811 — le petit Roi de Rome serait baptisé quelques semaines plus tard — ni Germaine, ni Benjamin, si portés qu'ils fussent à épuiser d'avance en imagination toutes les chances de malheur, ne pouvaient prévoir ces chutes parallèles. Elle avait quarante-cinq ans, lui quarante-quatre bientôt. Ils avaient l'un et l'autre conservé ce don de ne point vieillir, d'esprit, de caractère, d'humeur, qui demeure souvent le lot, quand ils ont grandi, des enfants prodiges, de ceux auxquels une véritable

Lausanne, octobre 1825, par J. B. Corot ; cette toile très peu connue appartient à une collection londonienne, celle de M. et Mme Eliot Hodgkin.

enfance a été refusée. Ils allaient rompre et, du même coup, ce charme encore se bri-
serait: l'âge allait fondre sur eux. Rompre, Germaine l'avait toujours dit, c'était *désen-
chanter sa vie.* Le sort devait les prendre au mot. Il leur suffirait de se dire adieu.

Nous connaissons la date, et même l'heure. Et le lieu bien sûr. Grâce à Benjamin et
à son goût des anniversaires... Le 8 mai, à onze heures à peu près, sur l'escalier de la
Couronne.

La Couronne était l'un des meilleurs hôtels de Lausanne, sis comme les autres rue de
Bourg, rue demeurée noble sous le régime égalitaire, comme elle demeurait étroite et
raide. L'hôtel se trouvait à mi-parcours*, accroché à la pente qui dégringole vers le ruisseau du Flon, face à la colline de la Cité. L'escalier donnait-il sur la rue, ou plutôt sur les
communs et la vallée, la Cité et la cathédrale? Cela importe peu. La voiture de Mme de
Staël va s'avancer. (Constant, lui, est lausannois pour six jours encore.) Il convenait
qu'une voiture roulât une fois de plus à la fin de ce récit traversé de tant de randonnées,
d'errances, de fuites, au terme de ce carrousel à travers l'Europe. Sur les marches, une
dernière fois, Germaine et Benjamin s'affrontent, sans éclat, sans scandale. Elle, qui aurait
voulu ne pas le perdre, dit:

— *Je crois que nous ne nous reverrons jamais.*

(Le *Journal* en témoigne; une lettre d'elle nous donne la réplique de Constant.) Lui
donc, qui ne rêvait que de secouer le joug, dit:

— *Nous ne serons pas séparés vraiment l'un de l'autre.*

On sait qu'ils se revirent, et restèrent à jamais séparés.

Le Léman, les alpes vaudoises et savoyardes, vus d'Ouchy.

XII

CONGÉ

Si je croyais être aimée de Constant,
tous les malheurs de ma vie disparaîtraient.
Mais ni lui, ni vous, ni personne
ne me parlerez vrai sur cela...

GERMAINE NECKER DE STAËL

S'étaient-ils aimés?

Encore une fois : devant les grands paysages de Montchoisi, Mézery, Coppet, est-ce bien d'amour qu'il fut question? Ou bien d'une passion maniaque, d'une fureur tout intellectuelle de possession, répondant interminablement à une fureur tout aussi intellectuelle de conquête?

De Germaine, on ne peut douter. Elle eut bien d'autres attachements, simultanés souvent; son sentiment pour Benjamin ne fut pourtant pas seulement le plus vif de sa vie, mais le plus durable, le plus profond. Et lui? Le Constant de la quarante-sixième année, réfléchissant sur soi, découvrait que son âme vivait solitaire, qu'il n'aimait qu'en absence, de reconnaissance et de pitié: *Je ne puis vivre du fond du cœur avec personne.* Mais c'est pour ajouter: *Je l'aurais pu avec Mme de Staël.* (A cause de son esprit, bien sûr.) *Je ne l'ai pas voulu.*

« Vivre du fond du cœur » est une belle définition de cet amour en ménage dont les amants impossibles de Coppet ont si longtemps rêvé, dont tant d'années aussi ils se sont donné l'illusion, ou la comédie. Mais aimer et vivre avec qui l'on aime, ce ne fut jamais tout à fait la même chose. Si Constant ne pouvait vivre du fond du cœur, il pouvait aimer. On doit l'admettre, malgré tant de contradictions, l'homme qui, dans *Adolphe*, a écrit: *mon amour tenait du culte,* a éprouvé pour Germaine cette adoration. Il a joui avec elle de *cette intelligence mutuelle qui devine chaque pensée et qui répond à chaque émotion.* Ils s'aimèrent, même si ce fut à contretemps, ou presque. Benjamin comme Adolphe a connu *ce jour subit répandu sur la vie.* Puis Adolphe a noté : *l'amour n'est qu'un point lumineux*, et tout son roman est pour dire comme il s'éteignit vite.

Faut-il en croire le roman ? Ou bien encore Constant lui-même qui, dans la furieuse querelle de 1815, lançait à Mme de Staël qu'il n'avait jamais pu aimer une femme plus de six mois ? Dans *Adolphe*, la première faille, irréparable, s'ouvre bien plus tôt encore entre les amants. L'histoire n'est plus dès lors que celle d'un sentiment qui se dégrade, non pas comme la pierre tombe, mais comme la feuille, qui vire, glisse, remonte mais un peu moins haut, se balance en redescendant. L'amour devient pitié, puis sujétion consentie. Constant, lui, variait d'heure en heure. Et ses balancements, amples ou brusques, ont duré des années, puis des années encore. Même quand il s'attachait ailleurs, il ne pouvait se détacher.

Cet attachement, dont la privation se révélait si douloureuse, était-ce pourtant de l'amour ? Constant l'a nié cent fois ; il a pourtant dit aussi : *Les sentiments de l'homme sont confus et mélangés ; la parole peut bien servir à les désigner, mais ne sert jamais à les définir.* Et il a écrit encore de Germaine : *Je l'aime de toute mon âme.* Ce qui pourrait être aussi, malgré tout, une belle définition de l'amour, quand le corps et le cœur se sont apaisés.

Non, leurs esprits ne furent pas seuls à se convenir : malgré les traverses, leurs cœurs demeureront d'intelligence. N'est-ce pas précisément, tout comme Ellénore et Adolphe, d'une *espèce de mémoire du cœur* qu'ils vivront très longtemps ? Après la rupture, son cœur à elle ne sera-t-il pas comme détruit, son cœur à lui profondément marqué ? Marqué par ce long servage, ou bien de toute éternité ? *Dans le fond de leur âme*, a dit Corinne, *il y avait des mystères semblables.* Leurs liens, plus serrés que ceux d'un mariage (et ceci a pu leur échapper, qui n'échappe plus à l'observateur) ne tenaient-ils pas d'abord à la profonde, à l'essentielle identité, cœur compris, de ces deux êtres ?

Dans l'un des plus anciens et des plus audacieux traités sur l'amour, *Le Banquet*, se trouve un singulier discours. Platon, en raison même sans doute de son étrangeté, le prête à Aristophane. La race des hommes descend de celle des géants, qui ne se distinguaient pas par leur taille seulement, mais, précise le Comique, par le fait qu'ils étaient en tout, de la tête aux pieds, des créatures doubles. Les dieux qu'ils avaient menacés résolurent, pour les rendre inoffensifs, de les couper en deux, en libérant les deux faces! Tout humain naît de la sorte d'un dédoublement. Chaque être est constamment à la recherche de sa fraction complémentaire, de sa réplique, de sa moitié... Plus burlesque encore que fantastique, le mythe prête à rire, mais non sa conclusion: les amants sont toujours en quête d'eux-mêmes, de la moitié disparue d'eux-mêmes.

Deux êtres sont-ils jamais apparus plus étroitement complémentaires que Germaine et Benjamin? Plus identiques que Mme de Staël, née Necker, avec son esprit mâle, et Benjamin Constant avec sa sensibilité féminine? Jamais sans doute deux grands esprits, mais aussi deux cœurs généreux, n'auront présenté l'un de l'autre plus proche réplique. Fractions d'un tout, de ce génie qui flambait sous les espèces du couple éblouissant des grands soirs de Coppet, c'est à bon droit que la postérité ne sépare plus leurs noms, ni leur mémoire.

Et certes il n'y a point d'abus à emprunter à l'Attique quelques rayons de son soleil, comme un peu de leur sagesse, voire de leur sel, à ses poètes pour élucider par une image le destin éclatant et douloureux de Germaine et de Benjamin, sur ces bords du Léman où la lumière, l'eau, la roche dressée sous le ciel et, quand y passent les amants de Coppet, l'esprit même portent comme un reflet de la Grèce.

Imprimé en Suisse

NOTES

Ce petit livre doit tout aux auteurs qui, depuis plus de cent ans et toujours plus nombreux, avec des informations toujours plus sûres, scrutent la vie et l'œuvre de ses deux héros ou de leurs amis. Cela fait une foule, où l'on ne peut citer que des chefs de file.

L'ouvrage de Pierre Kohler, Madame de Staël et la Suisse *(1916) demeure inégalé: il a exploré et décrit tout le domaine où je n'ai fait que tracer un sentier. Aux ouvrages des staëliens d'aujourd'hui, dont Mme la comtesse de Pange est le maître, un Américain, J. Christopher Herold, a récemment ajouté une somme, sa biographie de* Germaine Necker de Staël *(1962).*

En ce qui regarde Constant, on se doit de citer deux ouvrages plus anciens, Madame de Charrière et ses amis *de Philippe Godet (1906) et* La Jeunesse de Benjamin Constant *de Gustave Rudler (1909), le maître, lui, des constantiens, puis l'introduction, les notices et les notes du dernier éditeur des* Œuvres, *presque complètes, de Constant (1957), Alfred Roulin.*

Cela ne me dispense pas de rendre un tribut de gratitude aux biographes, aux auteurs d'éditions critiques, aux patients et ingénieux éditeurs de pages choisies, de lettres, de correspondances, de mémoires, aux historiens, aux psychologues, aux préfaciers, aux spécialistes des sciences politiques, aux romanciers qui ont voué leur soin à la personne et à l'œuvre des amants de Coppet, ce qui le plus souvent ne se peut faire sans leur vouer de l'amitié.

Je me dois d'adresser encore l'expression de ma reconnaissance aux archivistes et aux érudits qui m'ont aidé à repérer quelques-unes des demeures de Mme de Staël et de Constant en terre romande, à tous ceux qui me les ont aimablement ouvertes ou qui m'ont donné accès à leurs collections, aux photographes enfin, à Edouard Baumgartner et Max Chiffelle tout spécialement, dont les images font le prix de cet album.

Détail d'un plan géométrique
du domaine du Désert, près Lausanne (1771).

P. 11 Les *Lettres à Ribbing* ont été publiées chez Gallimard par Simone Balayé (Paris 1960). Cette grande spécialiste des études staëliennes a pu la première (voir Lettre XLIV, p. 151) établir les circonstances et la date de la rencontre historique que, de mémoire, Constant fixait au 19 septembre.

P. 24 Cette lettre figure dans le premier tome de la *Correspondance générale* de Mme de Staël, dont Béatrice W. Jasinsky a entrepris la publication (chez J. J. Pauvert, à Paris, dès 1962).

P. 35 La remarque est du Prof. P. L. Pelet, dans la première étude systématique de l'économie lausannoise à la fin du XVIIIe qui ait été tentée. Voir : *Deux cents ans de vie et d'histoire vaudoises, La Feuille d'Avis de Lausanne 1762-1962* (Payot, Lausanne 1962).

P. 35 (note 2) Il songera même à lui léguer la maison et le domaine. Son testament de 1796, rédigé à Paris à la veille d'un duel et daté du 25 messidor an IV (13 juillet), s'ouvre sur ce legs, de « La Chablière près Lausanne en Suisse », qu'accompagne celui de « tous ses papiers ».

P. 63 Dite maison d'Allinges, elle date en partie du XVIe siècle et porte aujourd'hui le N° 99. L'appartement du premier étage a de belles boiseries d'époque et, au salon, des papiers peints. La chambre voûtée, qui doit avoir été celle de Mme de Staël, se trouve à cet étage. Il en existe cependant une autre au second.

P. 71 Les *Lettres à Narbonne* ont été publiées chez Gallimard (Paris 1960) par Georges Solovieff, avec des notes, une introduction et un commentaire remarquables.

P. 72   Le domaine se nomme aujourd'hui Charlemont, commune de Crans. La maison de maîtres, construite par l'aubergiste Conrad-Henri Trachsel en 1790, ainsi que l'attestent des actes et une brique datée à la cave, était donc presque neuve à l'installation des Staël. Elle comporte deux étages, à cinq fenêtres de façade, sur un sous-sol où se trouvaient autrefois les cuisines et le logis des domestiques. Une tourelle, à l'angle nord-est, a disparu en même temps que le beau toit du XVIIIᵉ à pans coupés et mansardes.

M. M. Depoisier, des Archives cantonales vaudoises, a bien voulu faire dans les actes et les registres cadastraux les recherches qui ont permis d'identifier « Trachsel Haus » avec cette demeure.

Charlemont, vu du nord.

P. 77   Dorette Berthoud a publié de nombreuses lettres inédites de Montesquiou dans sa précieuse étude sur *La seconde Madame Benjamin Constant, d'après ses lettres*, chez Payot (Lausanne 1943).

P. 87   C'est la supposition, vraisemblable, de S. Balayé, qui se fonde sur l'ancien nom des bois de Vernand, Lancys ou Lance. Je n'ai trouvé aucun document pour l'étayer.

P. 89   Ceci ressort d'une lettre inédite du Dʳ Andrew Duncan Jr. à son père, le Prof. Duncan, chez qui Constant avait pris pension à Edimbourg.
Cette lettre, datée de Brunswick, mai 1795, m'a été aimablement communiquée par M. Charles P. Finlayson, conservateur des manuscrits de la Bibliothèque universitaire d'Edimbourg.

P. 99   Cette promesse, réciproque, a été publiée par Charles Du Bos, dans *Grandeur et Misère de Benjamin Constant*, (Corréa, 1946). S. Balayé la date, plus vraisemblablement, du printemps 1797. Cette difficulté de date n'enlève d'ailleurs rien à l'analyse de Du Bos, la plus subtile, la plus amicale et la plus pénétrante qui soit.

P. 102   C'est ce qu'indique, dans *Cécile*, Constant que sa mémoire a pu tromper: « Je n'arrivai en Suisse que le 25 décembre 1795 ». Necker était venu à Lausanne à la rencontre de sa fille; il en repartit le jour de l'An 1796. Peut-être l'arrivée du couple ne datait-elle que des tout derniers jours de 1795.

P. 109   Dès son arrivée à Lausanne à la fin de 1795, Mᵐᵉ de Staël devait avoir soufflé à Necker l'idée d'un séjour dans cette ville. Le projet fut abandonné, mais l'ambassadrice y faisait des courses fréquentes. Elle disposait même d'un « petit appartement », assez grand pourtant pour y recevoir un ami. Elle en donne l'adresse: « Je suis établie dans la maison d'Olive, à Ouchy... c'est à quatre pas de Lausanne... »

M. L. Polla, journaliste, a établi que cette maison, disparue, appartenait à un négociant lausannois, Jacques-David Olive. Elle s'élevait, isolée au milieu des vignes, à proximité de la route et portait le nº 18 de la Grande-Rue ou « descente » d'Ouchy, qui correspond aujourd'hui au nº 47 de l'avenue d'Ouchy. Avec son perron, ses communs, son jardin, elle faisait figure de maison de maîtres, mais, au rebours des campagnes avoisinantes, elle ne portait pas, semble-t-il, de nom particulier et n'était du reste pas recensée avec elles.

P. 114   Louis Necker de Germagny, (1730-1804), frère aîné de Jacques Necker et beau-père d'Albertine Necker-de Saussure, avait acquis en 1776 la villa du « Grand Cologny » où Mᵐᵉ de Staël se rend à plus d'une reprise.

P. 121   Son cousin Jacques Necker-de-Saussure l'indique, en prenant sa défense devant la Commission des émigrés, établie par les autorités bernoises. Les Necker-de Saussure, réfugiés à Lausanne, habitaient — en 1795, en tout cas — la maison Boutan, au Petit-Ouchy

Selon M. L. Polla, la maison Boutan, du nom de son propriétaire, correspond à l'actuelle villa Fantaisie, soit au 32 de l'avenue de l'Elysée.

P. 125   Dans son roman autobiographique, Constant écrit naturellement Mᵐᵉ de Malbée. J'ai rétabli le nom de Mᵐᵉ de Staël.

J'ai tenté de faire exactes les citations sur lesquelles est bâti le présent récit. Mais, comme il s'agit précisément d'un récit qui se veut véridique et non

d'un savant ouvrage de référence, j'ai renoncé à des précautions qui n'auraient eu pour effet que de l'alourdir, comme l'indication de coupures lorsqu'elle ne changent rien au sens ou le respect d'orthographes archaïques ou trop personnelles.

P. 129   Le premier éditeur de cette lettre la datait du 26 floréal an V, soit du 15 mai 1797. Cela faisait problème: Constant demandait à sa tante de lui trouver une femme, requête peu vraisemblable à quelque trois semaines de la naissance d'Albertine alors que Mᵐᵉ de Staël venait à peine de quitter Hérivaux.

Les allusions à Genève réunie à la France, aux élections récentes, à la qualité de « nouveau Français » de Constant et même à sa situation de fortune obligent en réalité à dater requête et lettre de mai 1798, donc de l'an VI. Une lettre subséquente, où précisément il est question à la fois du projet de mariage et du retour du « souverain légitime » confirme cette datation: l'allusion au retour n'aurait aucun sens en 1797.

Une autre date se trouve du même coup précisée. Benjamin dit à sa tante combien lui pèse le lien qui « l'enchaîne depuis deux ans ». Deux ans, cela ramène bien au printemps de 1796 le début de la liaison avec Mᵐᵉ de Staël.

P. 144   *Amélie et Germaine* a été publié pour la première fois en 1952, chez Gallimard à Paris, par Alfred Roulin et Charles Roth, dans leur édition intégrale des manuscrits autographes des *Journaux intimes*. Le texte s'en retrouve, comme celui de *Cécile*, dans les *Œuvres* de Benjamin Constant, présentées dans la Bibliothèque de la Pléiade par A. Roulin.

C'est également A. Roulin qui avait procuré en 1951 la première édition de *Cécile*, publiée avec une passionnante introduction et des notes chez Gallimard.

P. 156 La remarque et la formule sont d'Alfred Fabre-Luce, dans son *Benjamin Constant*, vif et percutant (Fayard 1939).

P. 161 Il donne pour adresse le n° 39, maison Martine, chez une dame Lebrun. La rue porte aujourd'hui le nom d'Etienne-Dumont, l'immeuble le n° 16.
Le registre des collectes en faveur de l'hôpital donne à penser que Constant s'y trouvait déjà au printemps 1803 et qu'il avait donc passé l'hiver 1802-1803 à cette même adresse. Le sieur Lebrun était un horloger venu de Paris avant la Révolution. Dans cet immeuble, ainsi que le rappelle une plaque apposée sur la façade, Voltaire s'était fréquemment rendu pour surveiller la réimpression de ses œuvres; H. F. Amiel devait y vivre deux ans durant.
M. G. Vaucher, archiviste d'Etat, et M. W. Zurbuchen, archiviste, ont bien voulu se charger des recherches, dans les précieuses archives hospitalières en particulier, qui leur ont permis de fixer quelques-uns des domiciles de Mme de Staël et de B. Constant à Genève.

P. 162 Longtemps Necker n'avait pas eu à Genève de résidence fixe, ce dont les Genevois se formalisèrent quelque peu d'ailleurs. On le voit séjourner successivement à plusieurs adresses. Vers la fin de sa vie pourtant, lorsqu'il quittait Coppet l'hiver venu, s'installait dans un immeuble qu'il avait loué à la rue Neuve Saint-Germain. C'est là qu'il devait mourir.
L'immeuble, d'après le registre des collectes, numéroté alors 245, rue « derrière les Granges », porte aujourd'hui le 6 de la rue des Granges (maison Boissier). M. et Mme Rilliet-Huber habitaient la même maison.

P. 167 C'était l'opinion, très vraisemblable, de Naville dans son *Guide de la vieille Genève*. L'hôtel

Necker porte aujourd'hui le n° 9 de la rue Calvin, alors rue des Chanoines; il possède au 1er étage un très beau salon Louis XVI.
Le registre des collectes amène cependant à situer le domicile de Mme de Staël, en ce printemps 1806, non au n° 123, qui correspondait à l'hôtel Necker, mais au 125 de la rue des Chanoines, soit dans un bâtiment disparu qui porta plus tard l'ancien n° 5 de la rue Calvin.

Constant avait loué un appartement dans la même maison, mais — précise-t-il dans une lettre à Mme de Nassau — « tout à fait séparé et dans un autre étage ». Il prie donc qu'on ne lui adresse pas sa correspondance « chez Mme de Staël », mais simplement: « rue des Chanoines ».

P. 167 (note 2) Au numéro 2 actuel. Pierre Kohler rapporte qu'un autre locataire se plaignit au propriétaire de l'installation d'un théâtre dans la maison.

P. 170 Alfred Roulin l'apporte, dans la belle notice qu'il consacre à *Adolphe*, en tête des *Œuvres* de Constant, dans la Bibliothèque de la Pléiade.

P. 182 « Elle a loué pour un mois la grande maison Montagny », écrit Rosalie de Constant le 7 août 1807. Cette maison, construite vers 1780, a porté plusieurs noms, celui de Montagny lui venait de son propriétaire d'alors, le colonel Henri de Molin, seigneur de Montagny. Le nom de Petit-Ouchy était celui du quartier, aussi bien que de la maison.

P. 193 « Je crois que c'est là une de leurs impressions communes de Coppet », dit Gustave Rudler dans *Adolphe de Benjamin Constant*, étude magistrale et sensible (Société française d'éditions littéraires et techniques, Paris 1935).

P. 194 Une note de Mme Necker-de Saussure, qu'a publiée Pierre Kohler, indique quelques-uns des logis genevois de Mme de Staël depuis 1804.

Pour l'hiver 1808-1809, elle mentionne « l'appartement de Mme Huber ».
Il s'agit, les registres des collectes pour l'hôpital en témoignent, de Mme Huber-Burnand, femme de Pierre Huber, le naturaliste dit « Huber des fourmis ». L'immeuble appartenait au père de ce dernier, Jean Huber-Lullin, ou « Huber des abeilles », le fameux savant aveugle dont Mme de Staël s'est souvenue dans « Delphine », où elle l'a peint sous le nom de M. de Belmont. Cette maison portait le n° 87 de la place de la Taconnerie, aujourd'hui n° 5.

P. 197 C'était à l'époque la meilleure hôtellerie de Genève, celle où descendaient les personnes de qualité et que préférait Mme de Staël. Elle se Rouvait à la place Bel-Air, à l'extrémité de la rue du trhône.

P. 198 (note 1) Le registre des collectes permet d'établir que Mme de Staël avait pris logis au 207 de la Grand-Rue, aujourd'hui 15, dans la très belle maison Pictet, récemment restaurée. L'immeuble de la préfecture était à deux entrées de là.

P. 198 (note 2) Ainsi que l'a établi A. Roulin, Benjamin Constant est né dans la maison de son grand-père maternel, Benjamin de Chandieu, place Saint-François, à Lausanne, dans l'immeuble qui porte aujourd'hui le n° 7.
On avait précédemment admis que sa maison natale était celle-là même qui, au tout proche faubourg du Chêne, avait accueilli Voltaire en 1757 et 1758, une maison qui appartenait également aux Chandieu.
Aux arguments très solides avancés par A. Roulin s'ajoute le fait, dont témoigne une petite annonce retrouvée dans la *Feuille d'Avis de Lausanne* du 30 juin 1767, que les Chandieu à cette date offraient à louer un appartement dans leur maison du Chêne et donnaient pour adresse, quelques mois avant la naissance de Constant, la «place de Saint-François».

P. 201 Dans l'immeuble Jaquet qui portait alors le n° 25 de la Cité, puis reçut le n° 20 de la Corraterie, avant de faire place à une banque.

P. 203 Le récit de ce long voyage se trouve dans la seconde partie de *Dix années d'exil*, dont il forme l'essentiel. *Dix années d'exil* demeure, de tous les livres de Mme de Staël, le plus accessible et le plus entraînant. Il a été réédité en format de poche, avec une introduction de S. Balayé (Bibl. 10/18, U.G.E. Paris 1966).

P. 204 « Nous nous sommes sauvés à Lausanne pendant un mois », notera Albertine. Mme de Staël, dans une lettre au colonel Guiguer de Pran-

La maison Constant, rue de Bourg, à Lausanne, dessin de H. Burri

gins, donnera l'adresse: « Maison Milliquet ». Benjamin Constant avait reçu de son père, avec la Chablière en 1791, ce très bel immeuble, qui avait été la demeure de sa grand-mère, la générale de Constant. Il le revendit en 1795. La maison a été démolie au début de ce siècle.

P. 218 L'immeuble a disparu. Il portait le n° 10, emplacement qui correspond à l'actuel n° 17. Ses vastes écuries, au nord, s'ouvraient sur la ruelle du Rôtillon.

CRÉDITS

Les œuvres d'art et les documents reproduits dans cet ouvrage proviennent des collections et des musées suivants:

Château de Coppet:
7, 18, 19, 20, 25, 29, 69, 77, 78, 100, 106, 108, 117, 125, 135, 141, 142, 146, 157, 175, 179, 202, 209;

Comte de Pückler, Mézery près Lausanne:
32, 37, 39, 49, 81, 95, 206, 210, 230;

Comtesse de Pange, Paris:
66, 131, 167, 184, 207;

Château de Broglie, France: 46, 115;

Mme G. Sienkiewicz, Paris: 83;

Comte d'Haussonville, Paris: 188;

M. L. Boissier, Genève: 215;

M. J. R. Bory, Coppet: 157, 214;

Mme R. Bory, Genève: 119;

Mr. & Mrs E. Hodgkin, Londres: 217;

M. Ch. E. Rivier, Lausanne: 226;

M. M. Gaulis, Lausanne: 34;

Musée du Vieux Lausanne:
10, 13, 16, 23, 31, 112, 122, 205, 211, 233;

Musée du Vieux Genève: 56, 168, garde de derrière;

Société des Arts, Genève: 219;

Bibliothèque Nationale, Paris, Estampes: 52, 132, 149;

Bibliothèque cantonale, Lausanne: 8, 171;

Bibliothèque cantonale, Lausanne, cabinet iconographique:
43, 60, 68, 71, 120, 127, 129, 213, 218, 235;

Bibliothèque universitaire, Edimbourg: 41;

Musée Carnavalet, Paris: 199;

Nationalmuseum, Stockholm: 51, 74;

Musée du Louvre, Paris: 57;

Musée suisse des P.T.T., Berne: 187;

Archives cantonales, Lausanne: 86;

Collections particulières, Lausanne: 172, garde de devant;
«   «   Rolle: 47;
«   «   Nyon: 72.

Les illustrations sont dues aux photographes et aux établissements que voici:

Ed. Baumgartner, Centre-Photo, Lausanne: 7, 10, 13, 16, 18, 20, 23, 29, 31, 34, 35, 40, 54, 69, 77, 78, 100, 106, 107, 108, 112, 117, 125, 135, 142, 146, 157, 158, 160, 163, 166, 175, 179, 180, 183, 192, 194, 195, 202, 209, 211, 214, 215, 219, 220, 226, 232;

Max Chiffele, Chexbres: 5, 15, 26, 32, 37, 39, 45, 49, 61, 65, 80, 81, 95, 97, 104, 138, 153, 154, 174, 177, 206, 210, 227, 230;

J. P. Grisel, Centre-Photo, Lausanne: 60, 68, 71, 73, 86, 120, 122, 129, 187, 213, 228, 235;

P. Guilbert, Paris: 8, 46, 52, 66, 74, 83, 115, 131, 132, 149, 167, 184, 188, 199, 207;

Giraudon, Paris: 57;

O. d'Haussonville, Paris: 19;

Librairie Gallimard, Paris: 145;

A. Stolz, Genève: 56, garde de derrière;

Bibliothèque cantonale, Lausanne: 171;

H. Guex-Rolle, Lausanne: 191;

G. de Jongh, Lausanne: 205;

E. Berger, Nyon: 119;

Central Office of Information, Londres: 217;

Archives: 9, 88, 92, 93, 102, 161, 164, 231.

LAC
LEMAN.

235

TABLE

CET OUVRAGE,
LE QUATRIÈME DE LA COLLECTION
LES PAYSAGES DE L'AMOUR,
A ÉTÉ ACHEVÉ D'IMPRIMER EN OCTOBRE 1966
SUR LES PRESSES OFFSET DES IMPRIMERIES RÉUNIES S.A., LAUSANNE,
POUR LE TEXTE ET L'ILLUSTRATION EN NOIR,
DE L'IMPRIMERIE DES ARTS ET MÉTIERS POUR LA COULEUR,
ET RELIÉ PAR
LES ATELIERS MAYER ET SOUTTER, RENENS.
LA MISE EN PAGES EST DUE A ROLAND BETTEX.